NOËLS, AUTOS ET CANTIQUES

Claude Daigneault

NOËLS, AUTOS ET CANTIQUES

CONTES

**Les Éditions
LOGIQUES**

Données de catalogage avant publication (Canada)
Daigneault, Claude, 1942-
Noëls, autos et cantiques

ISBN-2-89381-309-7

I. Titre. II.

PS8557.A44534N63   1995   C843» .54   C95-941628-5-2
PS8557.A44534N63   1995
PQ3919.2.D34N63   1995

LOGIQUES est une maison d'édition agréée par les organismes d'État responsables de la culture et des communications.

Révision linguistique: Corinne de Vailly, Roger Magini, Margot Sangorrin
Mise en pages: André Lemelin
Graphisme de la couverture: Christian Campana
Illustration de la couverture: montage réalisé à partir d'un tableau de
Piero della Francesca, intitulé *La Nativité*.

Distribution au Canada:
Logidisque inc., 1225, rue de Condé, Montréal (Québec) H3K 2E4
Téléphone: (514) 933-2225 • Télécopieur: (514) 933-2182

Distribution en France:
Les Édition LOGIQUES / Bureau de Paris, 110, rue du Bac, 75007 Paris
Téléphone: (33) 1 42 84 14 52 • Télécopieur: (33) 1 45 48 80 16

Distribution en Belgique:
Vander Éditeur, avenue des Volontaires, 321, 13-1150 Bruxelles
Téléphone: (32-2) 762-9804 • Télécopieur: (32-2) 762-0662

Distribution en Suisse:
Diffusion Transat s.a., route des Jeunes, 4 ter, C.P. 125, 1211 Genève 26
Téléphone: (022) 342-7740 • Télécopieur: (022) 343-4646

Les Éditions LOGIQUES
1247, rue de Condé, Montréal (Québec) H3K 2E4
Téléphone: (514) 933-2225 • Télécopieur: (514) 933-3949

NOËLS, AUTOS ET CANTIQUES
© Les Éditions LOGIQUES inc., 1995
Dépôt légal: Quatrième trimestre 1995
Bibliothèque nationale du Québec
Bibliothèque nationale du Canada
ISBN-2-89381-309-7
LX-354

À chacun son rituel...

Les Noëls de mon enfance sherbrookoise ont été marqués par un rituel auquel je vouais une fidélité indéfectible: la lecture des deux recueils de *Contes de Noël* du journaliste Louis-C. O'Neill, alors une personnalité en vue de la salle de rédaction de *La Tribune*.

Était-ce pour mieux s'assurer qu'elle obtiendrait quelques heures de tranquillité à un moment capital que ma mère attendait jusqu'à la mi-décembre, avant d'extraire les deux livres d'une cachette de sa garde-robe? Sans doute. Mais l'attente faisait partie des préparatifs de la fête et je ne lui en tenais pas rigueur.

Je ne lisais pas tous les contes d'une seule traite. Je me contentais de deux ou trois par jour afin de faire durer le plaisir. Je m'astreignais même à lire, sans déroger à l'ordre de présentation, ceux qui paraissaient difficiles à apprécier à mon âge. Puis je me délectais de ceux qui me faisaient bien rire comme de ceux qui attisaient ma mélancolie. Et je m'empressais de les relire, quelques jours plus tard.

Je n'ai jamais oublié ces contes, maintenant introuvables en librairie. Ils ont été pour moi de fidèles compagnons des Noëls de ma jeunesse, les lumineux et les tristes.

Les rites font partie de notre manière de célébrer Noël, que l'on soit croyant ou athée. À notre époque, que serait cette fête sans la reprise à la télévision du concert de Pavarotti, tourné à l'église Notre-Dame de Montréal à la fin des années 70, ou sans la rediffusion des films *It's a Wonderful Life* et *Miracle on 34th Street*? Que serait-elle si nous n'écoutions pas les vieux microsillons que l'on ne retrouve qu'avec une patience d'archéologue dans sa collection?

Noëls, autos et cantiques se veut, modestement, un semblable compagnon de route que le lecteur aimera retrouver chaque année au temps des fêtes. Une façon de rire et de s'émouvoir en dehors des sentiers battus.

Claude Daigneault

La soutane rouge

Qui n'a pas connu la naïveté des mœurs propre à la fin des années 40 ne peut concevoir la fébrilité qui animait un jeune garçon, à l'approche de la fête de Noël.

Les rêves peuplés de jouets inconnus (puisque la télévision n'existait pas pour en faire la réclame dès le mois d'octobre), la perspective des rencontres familiales animées et arrosées (du moins pour les adultes) autour d'un sapin naturel, les jours de célébration religieuse plus respectés qu'aujourd'hui (les dimanches de l'Avent, la veille de Noël, le jour de Noël, le jour de l'An, le jour des Rois), les longues séances de patinage ou de hockey aux patinoires du quartier, les parties de glissade en traîne sauvage ou en bobsleigh par les après-midis ensoleillés... Un mot caractérisait le tout: l'exaltation.

Mais si, de surcroît, ce garçon jouissait de l'ineffable privilège d'être enfant de chœur, il adhérait à une confrérie d'heureux élus, pour qui «le temps des fêtes» offrait en prime des parfums d'encens et la «gloire» de participer à des cérémonies hautes en couleur, devant une foule admirative. À ses yeux, du moins.

Jean-Paul Turbide, que tous ses camarades surnommaient Ti-Prout à cause d'un pet sonore lâché en plein chœur un dimanche pendant l'élévation, commençait à rêver de Noël à la Toussaint et finissait par admettre que les fêtes étaient choses du passé à la Chandeleur. Toujours enfant unique à dix ans, il était une exception dans la sherbrookoise paroisse traditionnelle qui l'avait vu naître. Sa mère avait eu fort à faire pour convaincre son confesseur que ses règles douloureuses l'avaient forcée à subir la «grande opération» après la naissance de son rejeton, ce qui expliquait que Jean-Paul n'avait aucun espoir d'être l'aîné d'une famille nombreuse.

Heureusement, les tantes de Jean-Paul, de réjouissantes campagnardes, étaient prolifiques, et le «ti-gars à sa môman» (comme l'appelait affectueusement son père) pouvait compter sur une parenté fort enjouée pour le consoler de sa solitude au temps des fêtes.

Quelques jours après la Sainte-Catherine, en ce mois de novembre de 1950, Ti-Prout connut une joie qu'il ressentit comme la plus exaltante de son enfance. Le frère Charles-Alexandre, de la congrégation des frères maristes, lui demanda de l'attendre à la sacristie, après la grand-messe du dimanche. Une sourde angoisse donna au garçon des palpitations: le frère avait-il remarqué qu'il profitait de la communion pour reluquer, tout son soûl, la fascinante Mireille Côté au troisième banc à gauche, tout en précédant l'officiant avec sa patène?

Le responsable des enfants de chœur avait-il eu connaissance que Jean-Paul avait rougi sous les gros yeux du curé, lui signifiant qu'il tenait la patène de travers et qu'il pouvait à tout moment laisser glisser par terre les microscopiques morceaux d'hostie qui s'y seraient théoriquement trouvés, risquant ainsi de «salir» des quantités de Dieu puisqu'Il était complet et présent dans chaque parcelle, n'est-ce pas?

Pire encore. Le religieux avait-il aperçu le sourire – à faire désirer à un ange d'être un homme –, que Mireille accordait toujours à Jean-Paul, après avoir refermé sa mignonne bouche en cœur sur l'hostie? Le visage de la fillette, encadré de boudins roulés à la guenille par une mère patiente, et avivé par des yeux noisette pétillants, chamboulait encore son estomac, tandis qu'il retirait son surplis, empesé au point d'être fragile comme une hostie, et sa soutane un peu trop courte. «À marée haute», disait son père pour le taquiner.

– Y'a-t'y de l'eau dans la cave de l'église, mon Ti-Prout? lui demandait-il régulièrement.

Une grosse tache de cire sur la jupe du vêtement lui soutira une moue agacée: il faudrait chiper des allumettes au bedeau pour faire fondre ce magma blanchâtre avant les vêpres, auxquelles il devait servir en sa qualité d'acolyte.

11

Le brouhaha coutumier de la vingtaine d'enfants de chœur, s'habillant à la hâte pour se sauver vers le repas du midi, mourut rapidement dans la salle de chauffage, qui servait aussi de salle d'habillage.

Lorsque la porte s'ouvrit sur le frère Charles-Alexandre, les yeux démesurément agrandis par des verres épais, Ti-Prout, demeuré seul, fit instinctivement un pas en arrière et s'adossa nerveusement aux armoires vernies où l'on rangeait les soutanes, les surplis et les caisses de bougies. Le religieux s'approcha, grimaçant un sourire énigmatique. Il laissa s'écouler quelques secondes d'un silence menaçant (aux yeux de Jean-Paul), puis lui lança à brûle-pourpoint:

– Aimerais-tu changer la couleur de ta soutane?

L'enfant resta muet, incapable de décrypter ce langage sibyllin propre aux religieux de cette époque.

– Aimerais-tu porter une soutane rouge à Noël?

Le cœur de Jean-Paul se mit à battre à un rythme de plus en plus sonore dans ses oreilles. Il craignait de s'illusionner et pourtant il comprenait – du moins il l'espérait, avec émotion – qu'on le choisissait pour servir la messe de minuit. Le frère poursuivit:

– Ton titulaire, le frère Louis-Marie, me dit que tu es premier ce mois-ci. Tu le sauras officiellement demain à la remise des bulletins. Tu sais que seuls les meilleurs élèves ont le privilège de servir la messe de minuit. Que dirais-tu d'être acolyte de droite pour les trois messes?

Jean-Paul fut littéralement submergé par la grâce divine, qu'il sentait dégouliner sur son âme comme du sirop de chocolat chaud sur du gâteau des anges. Acolyte de droite! Quel honneur! Celui qui agite la clochette à l'élévation, qui apporte les burettes, qui présente le bassin et verse l'eau pour les ablutions de l'officiant (pendant que l'acolyte de gauche ne porte que le manipule sur son avant-bras), qui transporte l'encensoir pendant que son condisciple doit se contenter de la navette...

Les fameuses soutanes rouges étaient bien un peu élimées et leur couleur commençait à virer à l'orange, mais qu'importe! Seul le symbole comptait. Acolyte de droite! Le premier échelon dans la hiérarchie, qui le mènerait éventuellement à la fonction de thuriféraire, puis de cérémoniaire, le véritable assistant du prêtre!

Il songeait déjà aux compliments que déverseraient ses tantes sur sa tête, aux regards admiratifs de ses cousines Maryse et Gilberte...

Mais, inutile de le nier, n'était-ce pas surtout la meilleure façon de se faire admirer par la belle Mireille? De lui démontrer, enfin, qu'il était digne de lui adresser la parole à la patinoire de la 10e avenue où tant de garçons tournaient autour d'elle?

Jean-Paul irradiait de bonheur lorsqu'il parvint à bredouiller:

– Mon mère... ma père... euh, frère, mes parents vont être très-t-émus...

Le sourire amusé du religieux le consola à moitié de son incurable timidité qui le faisait baragouiner au moment où il s'y attendait le moins.

– J'en suis sûr. À propos, c'est Lucien de Montigny qui sera l'acolyte de gauche. Il faudra que vous restiez quelquefois après la classe pour les répétitions. Vous vous entendez bien, j'espère?

Tout le plaisir de Jean-Paul l'abandonna sans crier gare, comme l'eau d'un lavabo enfin débouché par un siphon. Lucien de Montigny, le «boulé[1]» de la classe, celui qui avait redoublé ses troisième et quatrième années et qui tentait sans succès de «suivre» en cinquième... Lucien-le-Baveux, trop grand pour ses condisciples, qu'on reléguait au fond de la classe, dans l'espoir qu'il ne dérange pas trop... Lucien qui avait fait de Jean-Paul son souffre-douleur et, comble d'infamie, qui se vantait d'avoir déjà embrassé Mireille Côté sur la bouche, un soir, derrière la cabane de la patinoire!

La voix du pauvre Ti-Prout devint aussi faible que ses genoux.

– Est-ce qu'il est pa-pacable de faire ça les-les acolyteries?

– Je suis sûr qu'avec ton aide, il fera un bon acolyte de gauche.

La voix du frère Charles-Alexandre affectait cette bonhomie caractéristique des adultes qui ne comprennent pas les drames de l'enfance. Et Ti-Prout

---

1. De l'anglais «bully»; expression courante à l'époque.

s'en fut, penaud, oubliant de remercier son bienfaiteur...

Le ravissement de sa mère fut tel qu'il l'avait anticipé, lorsqu'il apprit la nouvelle à ses parents pendant le déjeuner du dimanche. Elle le couva d'un regard attendri et lui dit:

— T'es tellement beau dans du rouge!

Jean-Paul tiqua un peu. Il n'aimait pas les débordements de tendresse de sa mère, particulièrement dans ces moments d'anxiété.

Son père acheva de mâcher et d'avaler une bonne portion de rôti de porc, avant de conclure:

— Tâche de ne pas nous faire honte. C'est un honneur que d'être si proche du prêtre.

Le pauvre Ti-Prout patinait dans le blanc-manger. Il n'avait pas saisi l'occasion d'exprimer sa hantise du grand Lucien et son désir de s'extirper de cette situation embarrassante. Il acheva son repas sans appétit et alla se réfugier dans sa chambre, cherchant dans *Le Lotus bleu* le courage qu'il lui faudrait désormais manifester, à la manière de Tintin...

✳ ✳ ✳

Jean-Paul eut, dès lors, l'occasion de s'interroger sur la perspicacité du frère Charles-Alexandre, qui avait choisi de l'associer à un individu aussi peu affable et, surtout, aussi peu doué que Lucien de Montigny.

Lors des répétitions à l'église, déserte après les cours, le gros adolescent, dont le visage portait déjà les traces de la première floraison d'une acné juvéni-le, se montrait d'une maladresse rare, confondant les divers objets à apporter à l'officiant (personnifié à l'autel par un frère Charles-Alexandre distrait, tout à la joie quasi orgasmique de mimer les gestes du prê-tre). L'ineffable Lucien mélangeait l'antienne et la collecte et bredouillait des répons en un sabir qui ne pourrait jamais passer pour du latin, même de cuisi-ne.

Lorsque le frère lui demandait la suite du *Introïbo ad altare Dei* (Je m'approcherai de l'autel du Sei-gneur), plutôt que d'ajouter *Ad Deum qui laetificat juventutem meam* (Près du Dieu qui réjouit ma jeu-nesse), le grand Lucien marmonnait quelque chose dans le genre de:

— Ma minoune a quat' ti-chats qui font miam-miam.

Le religieux avait d'abord feint de ne pas remar-quer les dispositions chancelantes de son acolyte de gauche pour la liturgie. Puis il avait choisi de le reprendre avec un humour patient, de lui faire répéter mot à mot les répons. Il dut se résoudre à lui imposer d'emporter son missel dans son sac d'école, pour le mémoriser, le soir à la maison.

Plus Lucien se montrait obtus, plus son agressivi-té à l'endroit de Jean-Paul augmentait. Il le bouscu-lait, mine de rien, à la porte de la classe, le bourrait de coups de poing lorsque l'enseignant avait le dos tour-né, le menaçait des pires avanies s'il n'arrivait pas à lui apprendre les ficelles du métier d'acolyte. Rien n'y faisait. Ti-Prout avait beau inventer de patientes astuces, le cerveau de Lucien demeurait imperméable à la liturgie du temps des fêtes.

Placé devant l'obligation d'accélérer les préparatifs, le frère Charles-Alexandre chargea Jean-Paul de la responsabilité d'enseigner, de surcroît, la bonne prononciation latine à son compagnon, après les heures de cours. Dire que l'opération fut un échec est en deçà de la réalité. Tout nouvel apprentissage restait si hermétique à ce malappris, que le concept de l'ignare avait dû être inventé exprès pour lui.

Lucien réagit sournoisement à la catastrophe anticipée. Il se plaignit bien haut au frère Charles-Alexandre que la faute incomberait à son camarade, s'il n'apprenait rien.

– I sait pas comment me montrer, *frére*. I prononce drôle. J'comprends pas.

L'enseignant, peu dupe, se montra cependant sévère envers le pauvre Jean-Paul.

– J'avais confiance en toi. Je t'avais chargé d'une mission qui aurait fait plaisir à la Vierge Marie pour la naissance de Jésus. Je suis très déçu, Jean-Paul. Tu me fais de la peine.

Ti-Prout passa de la perplexité à l'angoisse, incapable de saisir l'absurdité de cet étrange épisode de son enfance.

L'insistance du frère Charles-Alexandre à lui imposer la présence d'un servant de messe aussi improbable que le gros Lucien le plongeait dans la stupeur.

De sa mère, à qui il s'était ouvert du drame qui rongeait ses journées, il n'obtint que des encouragements lénifiants:

– Offre ta peine à Jésus à l'occasion de Noël. C'est le plus beau cadeau que tu pourrais lui faire.

L'angoisse de Jean-Paul croissait à mesure que diminuait le nombre de jours le séparant de la messe de minuit. Et n'eût été du plaisir anticipé de savourer le sourire admiratif de Mireille Côté à la cérémonie, lorsqu'elle le verrait incarner l'esprit de Noël dans sa soutane rouge, il aurait depuis belle lurette demandé à être remplacé.

Il fit le douloureux effort de se montrer plus avenant envers Lucien, d'inventer des moyens mnémotechniques pour lui faire retenir les répons. Peine perdue. L'autre le rabrouait quand il lui suggérait de s'isoler dans un coin de la cour d'école, à la récréation, et de répéter son *Agnus Dei*.

– On va passer pour deux *fefis*, maudit niaiseux!

Malgré un manque évident de collaboration, Lucien le menaça cependant un midi de lui «casser la yeule» s'il n'était pas prêt à temps pour la grande occasion.

Le 15 décembre, la situation frôlait la catastrophe. Lucien n'avait pas progressé d'un *Sanctus* et mélangeait les gestes les plus simples de la cérémonie.

Les grands de huitième année, qui occupaient les fonc-
tions de thuriféraire et de cérémoniaire depuis deux
ans déjà, se bidonnaient littéralement en entendant les
élucubrations latines de Lucien.

Le pauvre ne savait pas plus qu'au premier jour
des répétitions, trois semaines auparavant, quand il
fallait s'agenouiller; il maîtrisait à grand peine le *Et
cum spiritu tuo,* qui ressemblait encore à «Et de la
gomme baloune plus haut» dans sa bouche molle,
coiffée d'une ridicule moustache naissante.

Le curé choisit, à quelque temps de là, un moment
particulièrement peu édifiant pour venir observer une
répétition à l'église. Estomaqué par le latin «néo-
néanderthalien» de Lucien, il somma le frère, cramoi-
si comme des vêtements sacerdotaux de la Pentecôte,
de régler *illico* le problème.

Le pasteur de la paroisse de la Sainte-Famille sortit d'un pas alerte en saluant d'un signe de tête distrait
la mère de Lucien de Montigny, qui arrivait justement
par la porte centrale, avec toute la prestance hautaine
que lui autorisait son rôle de présidente du Cercle des
dames de Sainte-Anne et d'épouse du seul comptable
agréé de la paroisse.

Aussitôt, le frère Charles-Alexandre, dans un
grand froufrou de soutane tachée de craie, se porta
allégrement à la rencontre de la plantureuse dame et
la déchargea d'un énorme paquet ficelé.

– Chère madame de Montigny, laissez-moi deviner.
Ce sont elles, n'est-ce pas?

– En plein ça, *frére*. Ane promesse, c'est ane promesse. Lé v'la.

En dépit de l'aristocratique patronyme que la dame avait emprunté à son mari en l'épousant (son nom de jeune fille était Irina Longtin), elle n'avait jamais pu s'affranchir de ses origines plus que modestes et ne devait qu'à son tempérament dictatorial et à une certaine beauté, d'avoir capturé le comptable de Montigny.

Tous deux s'approchèrent de la sainte table en s'entretenant à voix basse, comme il était de mise. Le gros Lucien rayonnait, l'air de dire aux autres:

– Vous allez voir ce que vous allez voir!

Toujours en chuchotant, le frère Charles-Alexandre dénoua la ficelle qui retenait l'épais papier brun. Une étoffe écarlate pointa des replis de l'emballage. Une à une, sous le visage triomphant de la généreuse donatrice, le frère extirpa quatre magnifiques soutanes rouges flambant neuves.

Le gros Lucien en pétait de plaisir:

– Que-cé vous dites de ça vous-z-autres? C'é t'y d'la soutane ça?

Jean-Paul et les deux grands étaient abasourdis. La pensée d'être vus dans cet éblouissant costume, par des centaines de fidèles, les inondait d'orgueil.

– Pi c'é pas toute!

De l'amas de papier, à cheval sur la sainte table, Mme de Montigny sortit quatre surplis en nylon infroissable, décorés à l'encolure et aux extrémités des manches d'un liséré brodé rouge.

Même le frère Charles-Alexandre ne put réprimer un long «Oh!» d'émotion.

– Chère madame, vous comblez la paroisse. Quel don magnifique! Quel beau cadeau de Noël pour nos enfants de chœur les plus méritants.

– Justement... À propos d'enfants de chœur...

Le religieux lui fit discrètement signe de baisser le ton, en lui désignant la lampe du sanctuaire et le tabernacle. Mais la dame chuchota avec tant de vigueur que les enfants entendirent la conversation.

– Mon Lucien me dit que le p'tit Turbide l'aide pas pantoute. Pis qu'au lieu de lui apprendre, y lui montre *toutte* de travers?

– Disons que Lucien semble éprouver de la difficulté avec le latin, concéda frère Charles-Alexandre, les yeux rivés sur la soutane rouge qu'il palpait de ses mains soignées.

– I reste même pas dix jours avant *Nowel*, pis y é pas *plusse prêtte* que ça?

– Hélas... Je dois reconnaître que le temps presse et que les progrès ne sont pas à la hauteur de nos espérances.

– Ben c'est simple: ôtez-y le p'tit Turbide des pattes pis donnez-y quèqu'un de capable.

– Mais... vous n'y pensez pas? Le jeune Turbide est notre meilleur acolyte...

– Y é peut-être bon, mais y é peut-être égoïste itou. Si c'te vlimeux-là é pas capable de montrer aux autres...

Et la perfide mère de Lucien d'ajouter, dans un murmure cette fois:

– Mettez quèqu'un d'autre ou je r'prends mes soutanes. Mon Lucien f'ra pas rire de lui. Essayez Henri Salois. Au moins, y é quésiment d'la même grandeur que mon Lucien.

Le quatuor d'enfants de chœur n'avait pas compris la dernière menace, mais au regard désespéré que le frère porta sur Jean-Paul, chacun sut que sa nomination au poste d'acolyte de droite était remise en question.

Lucien quitta l'église derrière sa mère en faisant mine, avec l'index, de se passer un couteau sur la gorge, ses yeux mauvais fixés sur Ti-Prout.

Les deux grands sortirent rapidement, sur un signe de tête du religieux. Jean-Paul voulut s'éclipser à son tour, mais le frère Charles-Alexandre le retint d'une main sur l'épaule.

– Reste Jean-Paul. Il faut que je te parle.

Après un profond soupir résigné, debout au milieu du chœur près des marches de l'autel, il se lança enfin dans ses explications:

– Écoute mon grand... Dans la vie, on ne fait pas toujours ce que l'on veut. Tu es assez vieux pour comprendre cela, je crois. Toi, un premier de classe...

Devant le silence ému de Jean-Paul, il poursuivit:

– Mme de Montigny a payé de ses propres deniers quatre belles soutanes neuves. Elle m'avait demandé, en échange, de donner une chance à Lucien; elle m'avait garanti qu'il ferait de son mieux pour être un bon acolyte. Je l'ai crue. J'ai espéré qu'avec ton aide, il parviendrait à s'en sortir. J'aurais dû me douter que ce n'était pas sans raison s'il n'avait jamais servi la messe; il était juste assez bon pour se tenir dans le chœur durant la grand-messe du dimanche. Mais tu le sais, je suis un nouveau venu dans cette paroisse et j'ai voulu que nos enfants de chœur profitent de la générosité de Mme de Montigny...

Jean-Paul écoutait, sans trop bien les comprendre, les épanchements du frère Charles-Alexandre. Mais le ton de regret qu'il percevait dans sa voix ne lui disait rien qui vaille. Le «motton» dans la gorge, il écouta les paroles fatidiques qu'il redoutait d'entendre:

– Je suis obligé de me priver de tes services pour la messe de minuit...

Et comme pour se faire pardonner, le religieux s'empressa d'ajouter:

– Mais peut-être que je pourrais arranger cela pour la grand-messe du jour de l'An...

– C'est pas juste... Vous savez que je suis le... le ben... meilleur... Je connais toutes mes *répinses* en *laton*...

Le pauvre Ti-Prout ne put contenir plus longtemps le raz de marée de larmes qui surgit derrière ses paupières. Sanglotant à fendre l'âme, il ramassa sa tuque des Leafs de Toronto et enfila de travers sa bougrine[2]

---

2.   Manteau à mi-hauteur boutonnant au milieu.

en velours côtelé bourgogne que lui avait donnée sa tante Muguette, le Noël précédent. Il s'enfuit de l'église au pas de course, sans avoir attaché ses bottes et sans vouloir écouter le frère qui criait:

– Attends Jean-Paul, laisse-moi une chance de m'expliquer!...

Il alla se réfugier derrière le garage du père d'un camarade de classe, entre deux barils d'huile de vidange sertis dans un banc de neige, et il sanglota tout son soûl durant d'interminables minutes.

Il ne savait pas qui, de l'injustice ou de la honte, le tenaillait le plus. Être mis au rancart alors qu'on se sait le meilleur était déjà terrible. Affronter la parenté, qui se gausserait de sa mésaventure pendant les réunions de famille, provoquait en lui aussi une certaine angoisse. Mais devoir, en outre, renoncer à la notoriété qui lui aurait probablement permis de se faire valoir auprès de la belle Mireille, voilà qui lui semblait insurmontable.

Dégoûté par l'ingratitude humaine et par celle du frère Charles-Alexandre en particulier, il erra dans les rues de la paroisse, s'attardant aux vitrines des petits commerces qui offraient des jouets et des livres de contes en étalage. Rien ne lui semblait pouvoir lui faire surmonter son chagrin.

Il faisait noir lorsqu'il se décida à affronter ses parents.

Lorsqu'il ouvrit la porte de la cuisine, ils étaient attablés pour le souper. Le visage inquiet de sa mère en disait long sur l'émotion qu'elle ressentait. Frère

Charles-Alexandre avait trouvé, entre-temps, suffi-samment de courage pour lui expliquer la situation au téléphone.

Elle se leva et vint l'entourer avec ses bras. La tête de Jean-Paul chercha un endroit douillet dans le tablier qui sentait encore la graisse de beignes et les biscuits au sucre fourrés aux figues.

– Viens souper, mon grand, il est tard.

Lorsque Jean-Paul sentit que sa peine avait ten-dance à s'amenuiser sous l'effet curatif de l'extraordi-naire ragoût de boulettes maternel, il osa enfin regar-der son père qui n'avait pipé mot depuis le début du souper.

Dans ses yeux, Jean-Paul discerna une colère ren-trée qu'il ne lui connaissait pas. L'ouvrier tourneur était d'une rare économie de mots et les encourage-ments tardaient souvent à venir, dans sa bouche. Cette fois, il eut pourtant la force de dire:

– T'en fais pas, mon Ti-Prout. I' existe une chose que ton grand-père appelle la justice immanente. Tu chercheras le mot dans le dictionnaire. Moi, c'que j'comprends, c'est que toutt' se paye dans la vie. Toutt'!

❊   ❊   ❊

Les quelques jours de classe qui séparaient les écoliers des vacances des fêtes furent vécus dans la fébrilité. Excepté pour Jean-Paul, qui ne parvenait pas à surmonter totalement son chagrin.

La rumeur de son «congédiement» avait vite fait le tour de l'école. Et si certains pleutres, qui voulaient obtenir les faveurs bourrues du grand Lucien, vinrent se moquer de lui pendant les récréations, la plupart de ses camarades lui témoignèrent une sympathie muette; ces derniers étaient malheureusement trop timides ou trop faibles pour être bien utiles dans une bonne bagarre de cour d'école, et Jean-Paul dut oublier les plans de vengeance qui germaient parfois dans son esprit, le soir, avant de s'endormir.

C'était l'époque de l'Avent et leur titulaire les faisait participer, comme chaque année, à la construction du «lit du petit Jésus». Chaque bonne action collective était couronnée, autour du berceau de l'enfant-Dieu, par une pièce de mobilier ou de vêtement découpée dans un catalogue de Dupuis Frères et épinglée sur un grand carton bleu poudre accroché au tableau. Chaque geste d'indiscipline forçait l'enseignant à retirer quelque objet, semant ainsi la culpabilité dans la classe, à la pensée que Jésus pouvait mourir de froid à sa naissance, sans doute, mais surtout que l'enseignant pouvait aussi bien accabler ses élèves de quelques devoirs supplémentaires avant les vacances.

Parce qu'il assurait à l'enseignant un calme édifiant, le chantage était maintenu jusqu'au dernier jour de classe, alors que l'ultime pièce, l'indispensable couverture qui garantissait la santé à Jésus en le tenant au chaud, était ajoutée à l'ensemble.

Prévenu par le frère Charles-Alexandre, le frère Louis-Marie avait manigancé une petite mise en scène qui valut à Jean-Paul d'être désigné, en raison de ses bons succès scolaires récents et de «la grande compréhension dont il avait fait preuve en renonçant à servir la messe de minuit pour le bien général», pour dévoiler la douillette du petit Jésus.

Jean-Paul tiqua pour la forme; toutefois, beau joueur, il accepta de grimper sur la chaise du professeur et de recouvrir le petit Jésus d'un carré de tissu découpé dans une nappe à carreaux décolorée par les lavages. En retournant à sa place, il ne fut pas sans remarquer les traits tirés et le regard absent du grand Lucien, au fond de la classe...

Jean-Paul avait d'abord songé à ne pas assister à la messe de minuit avec les autres enfants de chœur en soutane noire, relégués à la figuration pour la circonstance.

Mais son père lui fit comprendre que ce serait de la lâcheté et qu'il lui fallait affronter l'adversité.

Jean-Paul se résigna et, le surplis soigneusement repassé et empesé sur le bras, il accompagna ses parents jusqu'à l'humble église de ce quartier populaire, appelés par l'unique cloche aigrelette qui agitait timidement son battant comme pour se réchauffer.

Dans la sacristie régnait une activité chuchotante qui mourut prestement à l'arrivée de Jean-Paul. Sans adresser la parole à quiconque, celui-ci alla extraire sa soutane noire des profondeurs des armoires, qui sentaient le garçon mal lavé et la lotion après-rasage bon marché des adolescents désireux d'impressionner leurs blondes.

Jean-Paul revêtit sa soutane, le dos tourné à ses camarades. Il avait cru que l'humiliation de se retrouver avec les simples figurants le figerait sur place; il découvrait que faire face à l'adversité avait une certaine saveur. Et il y avait la mystérieuse étrenne dont lui avait parlé sa mère...

Près de la porte qui donnait sur le corridor menant au chœur, le frère Charles-Alexandre, visiblement anxieux et irrité, abreuvait d'ultimes conseils un Lucien livide, sous le regard éteint d'Henri Salois, sans doute un gentil garçon mais qui n'avait pas inventé la cuiller à encens.

– Réponds bien fort. Ar-ti-cu-le. C'est important que les fidèles t'entendent, pas seulement l'officiant.

Lucien hochait la tête, comme un boxeur sonné qui essaie de rassembler ses esprits avant de retourner se faire cribler de coups au dernier round.

– Suis les signaux du thuriféraire et du cérémoniaire. N'oublie pas de tenir ton chandelier bien droit, pour éviter les taches de cire sur le tapis du chœur.

Lucien n'eut pas l'occasion d'acquiescer: la porte de la sacristie s'ouvrit et le sacristain, dans sa ridicule soutanelle noire à passementerie dorée qu'il ne mettait que pour les grandes cérémonies, signifiait aux enfants de chœur, d'un hochement de tête sec, que M. le curé était prêt.

Deux par deux, qui un doigt dans le nez, qui redressant ses lunettes trop lourdes, les jeunes garçons contournèrent l'autel pour aller se placer à leurs bancs, alignés aux murs du chœur.

L'organiste donna la note, et la voix de l'unique ténor de la chorale s'éleva, chevrotante et émue, dans un *Venez Divin Messie* qui ne passerait pas à l'histoire. Un coup du sort avait voulu que Jean-Paul fût placé à l'extrémité du banc le plus proche de l'assistance. Il eut donc le loisir de repérer tout à son aise la belle Mireille, facilement reconnaissable sous un bonnet de lapin blanc qui lui faisait une tête à la Pompadour. La présence de ses parents semblait inspirer à la fillette une ferveur religieuse nouvelle, et elle n'avait d'yeux que pour l'autel. Ti-Prout soupira en ouvrant son missel: c'en était bien fini du rêve d'impressionner la belle enfant...

La procession du curé et des quatre enfants de chœur coïncida avec l'effort valeureux que fit le Raoul Jobin des pauvres pour chanter:

Pour nous livrer la guerre,
Tous les enfers sont déchaînés;
Descendez sur la terre,
Venez, venez, venez.

Le regard froid que le curé jeta en direction de l'organiste suffit à mettre un terme au cantique: le saint homme avait trois messes à dire et n'entendait pas qu'on se perdît dans le faste musical.

29

Le premier geste maladroit de Lucien de Montigny passa presque inaperçu: en allant déposer son chandelier sur la crédence, à la droite de l'autel, la manche de son beau surplis neuf accrocha la burette d'eau et le contenu se répandit sur la nappe de lin. Il voulut redresser la burette avant que tout le contenu ne se soit renversé, mais il ne parvint qu'à faire couler la cire de son cierge sur le plateau des burettes. Le bedeau-souris trottina aussitôt jusque-là pour réparer les dégâts et lui intimer l'ordre de s'agenouiller près de l'officiant, qui s'impatientait déjà au pied de l'autel.

Plein de bonne volonté dans sa splendide soutane rouge, Lucien entraîna Henri Salois, en oubliant de joindre religieusement les mains; et les deux acolytes se mirent à genoux, en se retenant de tomber face contre terre à la frange de l'aube de M. le curé, tant leur précipitation était grande. Les regards des autres enfants de chœur se firent interrogatifs: pourquoi Lucien était-il si nerveux?

L'ineffable avait sué toute la journée pour apprendre par cœur les répons en latin, mais il avait négligé un unique facteur: la vitesse d'exécution.

Or, le curé Zoël Boisvert avait la subtile personnalité d'un débardeur harassé et n'aimait pas que les choses traînassent. Il débitait le traditionnel Psaume 42 avec vigueur et entendait bien que les répondants en fissent autant.

Le rythme haletant eut vite raison de la mémoire hésitante de Lucien. Dès que le curé arriva au *Confi-*

tebor tibi in cithara, Deus, Deus Meus (J'exulterai, je
louerai sur la harpe le Seigneur mon Dieu), le servant
sut que toute tentative de démêler le bon latin de
l'ivraie était vouée à l'échec et il se précipita tête première dans ses inventions les plus aberrantes.

De sorte que *Spera in Deo, quoniam adhuc confi-
tebor illi* (Espère en Dieu: je le louerai encore) devint,
par la magie de la langue lucienne, *Le «spare» de Léo
était caduc pis y a pris le bord avec Lili.*

Le curé fronça les sourcils et jeta un regard interloqué vers le frère Charles-Alexandre, agenouillé en
compagnie des enfants de chœur. Le religieux, le
visage pâlissant à vue d'œil, gardait les yeux baissés
sur son énorme missel, image d'un pieux recueille-
ment.

Le plus navrant, dans cette situation, était que
Lucien appliquait à la lettre la consigne du frère et
qu'il clamait ses répons d'une voix de stentor. L'assistance était à même de constater sa ferveur mais ne
pouvait se méprendre sur la cacophonie verbale qui
régnait...

Au cours des Noëls à venir, les paroissiens allaient
faire bien des gorges chaudes dans les réveillons en se
remémorant son célèbre «Ma minoune a quat' ti-chats
qui font miam-miam». Mais c'est surtout de son interprétation du *Confiteor* qu'on tira les rires les plus hys-
tériques.

Normalement, tout acolyte digne de ce nom savait
réciter ces quelques paroles:

Confiteor Deo omnipotenti (Je confesse à Dieu tout-puissant)

Beatae Mariae semper Virgini (À la bienheureuse Marie toujours vierge)

Beato Michaeli Archangelo (À saint Michel Archange)

Beato Joanni Baptistae (À saint Jean-Baptiste)

Sanctis Apostolis Petro et Paulo (Aux saints Apôtres Pierre et Paul)

Omnibus Sanctis, et tibi, Pater: (À tous les saints, et à vous, mon père)

Quia peccavi nimis cogitatione, verbo, et opere (Que j'ai beaucoup péché, par pensées, par paroles, et par actions).

Dans la bouche de l'infortuné Lucien, la confession des péchés devint une apothéose du non-sens:

La confiture en or et le spaghetti
Patate et Marie à terre en Virginie
Potato Michel et les angelots
Potato Joanne et le pape triste
Saudis apôtres Titro pis Pôlo
Autobus sens-tu l'Abitibi par terre
Qui a pété vite, finis de stationner, verre d'eau et opérez-lé.

La sueur dégoulinait jusqu'aux fesses sous le caleçon long «Penman's 71» de M. le curé. Les gloussements de l'assistance étaient audibles à ses oreilles; les épaules des enfants de chœur sautillaient en cadence, Henri Salois, renommé pour son intelligence miniaturisée, mais qui avait eu le mérite d'apprendre fidèlement les répons par cœur, offrait un visage désemparé, incapable de suivre Lucien sur la pente savonneuse de ce latin imaginaire.

La messe se déroula au rythme des erreurs et des omissions de Lucien. Il alla chercher les burettes plutôt que l'encensoir, oublia de sonner la clochette au *Sanctus* mais la fit sonner à toute volée au *Pater Noster.*

Dans sa bouche, le *Sed libera nos a malo* (Mais délivrez-nous du mal) devint *Celle qui patinera avec Malo.*

L'irritation faisait verdir de rage l'officiant. Le rythme de la messe s'accentua au point que le chœur de chant dut abréger ses prestations vocales.

À la communion, Lucien ne sut où se placer ni que faire de la patène. Le frère Charles-Alexandre dut quitter les bancs des enfants de chœur pour le remettre sur le droit chemin et lui indiquer la marche à suivre, alors que le curé commençait déjà à distribuer l'hostie aux fidèles agenouillés, un sourire narquois imprimé sur leurs lèvres entrouvertes.

Mme de Montigny dut s'asseoir et s'éventer à l'aide du mouchoir bleu à pois blancs de son mari, livide sous sa calvitie.

Au terme de l'office, plutôt que d'entreprendre aussitôt les deux messes basses, le curé sortit d'un pas décidé en faisant un signe de tête non équivoque au frère Charles-Alexandre.

Ce qui fut dit dans la sacristie n'est pas passé à la postérité. Les trois autres servants en soutane rouge revinrent s'asseoir avec les autres enfants de chœur, mais sans Lucien. Le brouhaha de l'assemblée se changea en rumeur lorsque l'organiste entonna quelques mesures de *Dans une étable obscure* pour calmer les esprits.

Le frère Charles-Alexandre, le visage plus écarlate que jamais, apparut au coin de l'autel et fit signe à Jean-Paul de le rejoindre... Puis le gros Lucien, tête basse, émergea de derrière l'autel et vint s'asseoir avec les autres enfants de chœur, vêtu de sa soutane noire trop courte pour lui.

Lorsque le curé réapparut pour les deux messes basses, Jean-Paul le précédait fièrement, un peu embarrassé par la soutane rouge trop ample de Lucien...

* * *

En sortant de l'église, sur les derniers accents de *Gloire au sauveur de l'univers,* Jean-Paul faillit voir s'effondrer le bonheur qui l'inondait.

Lucien de Montigny, que l'humiliation avait rendu hargneux, voulait lui faire un mauvais parti.

– M'a t'apprendre à fére rire de moé, mon maudit!

Il l'envoya violemment dans un banc de neige durcie et s'apprêtait à le rudoyer lorsqu'un cri interrompit son geste:

– Hey! Arrête ça, Lucien de Montigny, ou je vais le dire à M. le curé!

Mireille Côté, tel un ange de Noël, son bonnet en lapin blanc illuminé par l'éclairage de la porte arrière de l'église, retenait le gros Lucien par le col de sa veste.

Les autres enfants de chœur, qui se précipitaient en courant vers leurs réveillons, firent cercle autour du trio. Des protestations fusèrent:

– Ça fait, de Montigny. Si tu touches à Jean-Paul, tu vas avoir affaire à nous autres. Y'a assez longtemps que tu «boules» tout le monde.

Même le cerveau obtus du gros Lucien n'était pas insensible à la situation. Il comprit qu'il était enfin mûr pour manger la raclée de sa vie. Nuit de Noël ou pas.

Mauvais perdant, il donna tout de même à Jean-Paul un coup de pied dans le tibia, avant de quitter les lieux en criant:

– Vous me faites pas peur, maudite gang de tapettes. Pis, vot' latin, fourrez-vous lé...

Le reste se perdit dans la volée de l'unique cloche que le bedeau avait commencé à secouer, en retard comme à l'accoutumée.

– Salut mon Ti-Prout. Joyeux Noël, firent les enfants de chœur en se quittant.

Mireille aida Jean-Paul à se redresser. Son radieux sourire, dans son visage inondé de taches de rousseur, lui fit bien vite oublier le coup de pied de l'âne.

Mais le plus beau cadeau qu'il reçut cette nuit-là, celui qui le laissa dans la lune durant toute la journée de Noël chez sa tante Yvonne à Saint-Mathias, lui vint aussi de la belle Mireille elle-même.

– Viens me rejoindre à la patinoire de la 10e avenue le lendemain de Noël. On va patiner ensemble.

Et avant même que Ti-Prout eût trouvé le courage d'acquiescer, elle déposa un rapide baiser sur sa joue gauche et se sauva dans la nuit d'un pas léger. Le souvenir des lèvres humides de la fillette sur son épiderme allait le hanter durant des semaines.

Lorsqu'il rentra à la maison pour le réveillon, sa mère lui demanda, radieuse:

– As-tu couru? T'es tout rouge! Comme ta soutane...

Sous l'arbre illuminé, une magnifique paire de patins, en cuir noir avec embout... rouge, était appuyée contre la crèche, près de l'album *L'Oreille cassée* de Tintin...

36

La Scala Sancta

D ans la très catholique province du Québec du début des années 50, la ferveur religieuse allait parfois de pair avec une certaine étroitesse d'esprit, due en bonne partie à la hantise du savoir qu'éprouvaient ceux qui n'avaient fréquenté l'école que du bout des fesses.

La famille Best, qui logeait dans une maison aussi ahurissante que celle d'Étincelle, dans la bande dessinée «Dick Tracy» que publiait *La Tribune*, était justement connue, dans la paroisse, pour la précarité du savoir que la nature avait distillé chichement dans les cerveaux de ses membres.

L'alcool aidant, les fins de soirée du samedi tournaient parfois à la bagarre et la police avait coutume de venir calmer les ardeurs d'Armand et de Jeannette, qui habitaient avec les parents du mari, Onésime et Élodie. Le lendemain matin, le couple arborait au visage les «bleus» récoltés la veille, en marchant fièrement bras dessus bras dessous jusqu'à l'église paroissiale pour y entendre la grand-messe.

Lorsque leur premier enfant avait pointé le bout d'une couette aussi rousse que les cheveux du père, les murs de la minuscule maison s'étaient presque arqués pour faire place à une nouvelle commode et à un petit lit.

– La pauvreté n'est pas un crime, répétait souvent le curé en chaire, pour inciter ses paroissiens à plus de tolérance envers cette famille qui ignorait le concept de la propreté et qui vivait, somme toute, d'expédients.

Onésime avait fait de brefs mais fréquents séjours à la prison municipale et Armand n'avait pas de difficulté à le suivre sur cette voie, quand ses rares emplois de journalier du bâtiment ne suffisaient pas à faire vivre la maisonnée.

La famille de Jeannette, sobre, honnête et bien en vue, ne se consolait pas de la voir vivre avec un *bum*. Il faut dire que la jeune femme, qui se passionnait pour l'art du maquillage appris dans les magazines qu'elle empruntait à ses voisines, était une beauté blonde qui avait fait rager d'envie ses consœurs jusqu'à ce qu'elle quitte l'école à 18 ans, ayant enfin réussi à terminer, avec un modeste succès, sa septième année...

Armand et Jeannette, alors mineure, avaient convolé en justes noces, à quelques jours de sa «graduation», avec la permission arrachée à son père... sous la menace de «tomber enceinte» hors des liens sacrés du mariage. La jeune femme, qui s'était fait accepter facilement par la famille Best, avait mis au monde un premier enfant, Armand junior, et en attendait un deuxième.

L'automne 1951 fut à la fois propice et malheureux pour la famille. Armand dénicha un travail de «concierge et chauffeur de fournaise» dans un club de danse situé au-delà des limites de la ville. (C'était en effet le seul endroit où l'autorité de l'archevêque n'était pas parvenue à interdire «ces lieux de perdition qui amollissent l'âme»). Pour se rendre à son travail, il avait fait l'acquisition d'une Packard d'avant-guerre, cabossée ici et là, mais encore capable de survivre à sa conduite désordonnée.

Paradoxalement, au moment où le sort leur paraissait enfin plus clément, Élodie fut victime d'une vilaine bronchite qui la cloua au lit et la conduisit, selon ses proches du moins, à l'article de la mort.

On a beau n'avoir été gratifié que d'un soupçon d'intelligence à sa naissance, on n'en est pas pour autant privé de sentiment filial. Toute la famille serra les coudes et fit l'impossible pour arracher la mère à la maladie.

Demander l'aide d'un médecin aurait été trop simple, comme de solliciter un conseil de l'infirmière de la V.O.N.[1] qui visitait les familles dans le besoin. Onésime décida de faire appel à Turmel dit «la Poche», un rebouteux célèbre d'East Angus, à quelques milles au nord de Sherbrooke.

«La Poche» arriva un soir, l'air soucieux et avec un visage qui n'avait pas été rasé depuis quatre jours. Une odeur de vieille sueur et d'étable le précédait. Il examina

---

1.   Victorian Order of Nurses.

la pauvre Élodie qui n'en menait pas large dans le lit du vieux couple, la fit asseoir, tousser, cracher dans un mouchoir. Il observa longuement le crachat, l'approcha de son gros nez rouge, se gratta l'occiput et dit à Jeannette:

– Va brûler ça dans l'poêle à bois pis apporte-moé d'l'eau chaude dans une tasse en granit.

Aussitôt dit, aussitôt fait. Le ramancheur concocta une tisane à l'aide de feuilles et d'écorce de sureau séchées et intima à la vieille de la boire le plus rapidement possible, avant de se recoucher sous les couvertures.

– Moé, chu rien dans ça. Celui qui fait toutt', c'est saint Joseph. Si vous le priez pas, j'peux rien fére. Mais si vous y d'mandez, parsonnellement, de vous sauver, y va le fére en passant par ma médecine.

Et là-dessus, le bonhomme s'en alla en empochant distraitement les deux *piastres* qu'Armand avait mises dans sa main. La somme peut sembler ridicule aujourd'hui, mais pour un ouvrier qui gagnait alors 20 $ par semaine, elle valait son pesant d'or.

À peine avait-il passé la porte que les autres membres de la famille s'agenouillèrent autour du lit d'Élodie, trempée de sueur sous les trois couvertures que Jeannette avait empilées sur elle. À vrai dire, le médicament n'avait pas l'air d'apporter le répit escompté; Élodie geignait et sa respiration était toujours sifflante.

– On devrait peut-être y faire une «ponce» avec du gros gin, suggéra timidement Jeannette, qui tenait

Junior dans les bras en le faisant doucement sauter pour l'empêcher de rechigner.

— Voyons donc, des plans pour la rach'ver, cria Armand.

Onésime, qui n'en menait pas large, saisit l'occasion pour aller extirper le quarante onces de dessous l'évier de la cuisine et en enfiler une bonne rasade, debout, les yeux glauques.

Jeannette et Armand vinrent le rejoindre et burent eux aussi, à même le goulot, une rasade qui les fortifia momentanément dans l'épreuve qu'ils traversaient.

Leur indécision les rendait fébriles. Onésime, le premier, se laissa glisser sur une chaise et soutint son menton des deux mains, les coudes sur le tapis ciré de la table. Jeannette s'assit à son tour, replaçant Armand junior sur elle, dans une position plus confortable pour sa condition de femme enceinte.

Seul Armand errait d'une fenêtre à l'autre, jetant des regards mornes sur la pluie mêlée de neige qui tombait maintenant. On se parlait pour ne rien dire, des phrases incomplètes, des mots brefs. L'un disait:

— Tout d'un coup que...

L'autre poursuivait:

— Ouan, ça s'pourrait ben...

Les jeux d'orgue de la poitrine d'Élodie les énervaient et ils devaient fréquemment se fortifier à l'aide d'une rasade de gros gin. Le petit Armand junior s'endormit et Jeannette alla le coucher dans le berceau au pied du lit conjugal. Elle soupira: le bambin touchait presque les extrémités de la couchette de la tête et des pieds; il faudrait bientôt lui en acheter une plus longue; de toutes façons, l'arrivée du deuxième bébé ne leur laissait guère le choix.

Lorsqu'elle revint à la cuisine, le spectacle de son beau-père sanglotant dans ses avant-bras et de son mari qui tentait timidement de le consoler, une main sur l'épaule, la surprit.

– Est pas morte, j'espère? demanda-t-elle angoissée.

– Non, non, répondit Armand. C'est juste qu'on s'inquiète.

– On devrait peut-être faire v'nir le Dr Marin?

– Es-tu folle toé? Que cé qu'y connaissent dans ça les maudits médecins? Tout ce qu'y veulent, cé d'l'argent. Pis on' n'a pas.

Jeannette hocha la tête. Les médecins coûtaient cher, en effet. C'était une vérité de toujours, et il ne lui serait pas venu à l'esprit d'en vérifier la véracité.

Dans le silence qui s'éternisait, Onésime leva lentement la tête. Ses yeux humides brillaient.

– Je l'sais c'qu'on va faire. On va faire un vœu à saint Joseph. On va y promettre de quoi de ben gros.

Armand et Jeannette se regardèrent. Comment avaient-ils pu oublier la recommandation de Turmel-dit La Poche?

– Ça c't'une bonne idée, l'pére, fit Armand. Quel vœu on fait?

– On va promettre... on va promettre de... d'aller en pèlerinage à la messe de minuit à l'Oratoire Saint-Joseph de Montréal, si la mère guérit betôt.

La promesse fera sourire certains lecteurs sceptiques d'aujourd'hui, du moins ceux qui n'étaient pas encore nés en 1950. Mais elle rappellera de délicieux frissons d'inquiétude à ceux qui ont connu cette époque d'avant les autoroutes et les voitures modernes. S'engager sur la vieille route numéro 1, dans une Packard d'avant-guerre, et se rendre jusqu'au cœur du «grand Montréal», en risquant sa vie sur des chaussées glacées et mal déneigées, apparut très nettement à Armand comme une entreprise plus que dangereuse.

– Ouan... Vous vous mouchez pas avec des pelures d'oignon, le pére. Montréal, çé pas à porte. Pis l'hiver, cé un bon trois-quatre heures. Ça va prendre des chaînes... Vous pensez pas qu'on pourrait voir moins grand? J'sais pas moé, comme un pèlerinage à Beauvoir[2]?

– Turmel a pas parlé du Sacré-Cœur, bonyenne. Il a dit qu'il fallait prier saint Joseph.

– Fâchez-vous pas le beau-pére, intervint Jeannette. Moé aussi j'pense que c'est saint Joseph qui est responsable d'la belle-mére. Chu d'accord. On va promettre un pèlerinage pour la messe de minuit. On n'a rien à perdre.

─────────────

2. Beauvoir est un lieu de pèlerinage dédié au Sacré-Cœur et situé à quelques kilomètres de Sherbrooke, près de Bromptville.

Armand s'inclina. Au propre et au figuré puisque, à l'instigation d'Onésime, le trio alla s'agenouiller autour du lit d'Élodie qui dormait maintenant profondément, sans rater un seul de ses ronflement.

L'alcool servit sans doute d'incitatif, autant que la foi, dans cet état d'esprit qui poussa Onésime vers ce qui devait s'avérer l'un des épisodes les plus farfelus de sa vie, un de ceux qui alimentent les récits qui provoquent les rires les plus sonores lors des veillées.

Mais c'est avec un sérieux ému qu'il formula alors cet engagement:

– Bon saint Joseph, vous le saint patron de la bonne mort, r'tenez-vous un peu dans le cas d'mon Élodie. On a encôr' besoin d'elle icitte-bas. A l'aide beaucoup dans la maison. Pis avec l'deuxième bébé de Jeannette qui est en route, a sera pas de trop. Ça fa que, si vous y donnez encôr' queq-z-années, j'vous promets qu'on va aller vous r'mercier en parsonne à la prochaine messe de minuit à «l'Aratoire». Ainsi soit-il.

– Soit-il, firent en écho Jeannette et Armand.

Deux jours plus tard, Élodie était suffisamment rétablie pour se lever et venir manger son gruau à la table de la cuisine, comme tout le monde. Saint Joseph avait fait montre de diligence et la famille Best entendait bien l'en remercier comme il se devait.

✳ ✳ ✳

Lorsque l'aube se leva sur le 24 décembre, Armand tira précautionneusement d'un doigt le store qui obscurcissait la chambre à coucher.

La fumée qui s'échappait de la cheminée de la maison voisine montait droite dans le ciel clair, au-dessus de la neige immaculée. Le soleil faisait miroiter les glaçons accrochés à la corniche.

Il se recoucha en poussant un soupir de résignation. Toutes ces semaines, depuis le fameux soir où son père avait promis à saint Joseph d'aller en pèlerinage à l'Oratoire pour la nuit de Noël, il avait vécu dans l'espoir qu'une tempête les empêcherait de partir ou, pire encore, dans la crainte que son père insisterait pour que la famille entreprenne le voyage en dépit de conditions routières difficiles.

Armand n'avait qu'une confiance pour le moins limitée dans la vieille Packard et ne se faisait aucune illusion sur ses talents de conducteur. Il n'osait se l'avouer, bien que la pensée lui torturât les méninges: il aurait donné n'importe quoi pour voir son père changer d'avis et annoncer qu'ils passeraient tous Noël à la maison, en réveillonnant copieusement. Le gallon de St-Georges et les deux quarante onces de Veuve Sévery, qu'il avait achetés quelques jours plus tôt, lui revenaient souvent à la mémoire. Enfin...

Armand se leva en se grattant énergiquement le ventre. Le tricot de son caleçon long le piquait généreusement. C'était toujours le même phénomène lorsque Jeannette faisait sécher les vêtements au-dessus du poêle à bois: ils devenaient raides et rugueux comme des poils de brosse à plancher. Armand portait un sous-vêtement propre, parce que toute la famille avait pris son bain hebdomadaire la veille, de façon à «avoir l'air smatte» pour se présenter devant saint Joseph.

Son père et sa mère avaient déjà revêtu leurs vêtements du dimanche quand il entra dans la cuisine. Armand comprit que l'annulation du périple n'était décidément pas au programme; il alla prévenir Jeannette, qui dormait sur le dos, le bedon bien rond sous les couvertures.

Le petit déjeuner fut expédié en vitesse, au son des chants de Noël qui s'échappaient avec des hoquets du haut-parleur fêlé du vieux poste de radio déglingué, posé sur le comptoir près de l'évier. Armand junior, en proie à une vague excitation, lui dont le lymphatisme faisait depuis sa naissance l'objet des commentaires désobligeants des commères du voisinage, se laissa emmitoufler en poussant des gloussements de plaisir.

Les préparatifs traînèrent un peu, de sorte que la famille ne se mit en route qu'aux environs de 10 heures, ce qui n'était pas un mal en somme, puisque Élodie avait annoncé qu'elle voulait faire le détour par Farnham pour aller visiter sa sœur Imelda, qu'elle n'avait pas vue depuis cinq ans.

En outre, cela permettrait d'économiser sur les frais du voyage, puisqu'ils arriveraient à l'heure du midi et qu'elle les inviterait forcément à dîner.

Au rythme du toc-toc des chaînes mal ajustées, qui heurtaient parfois les ailes arrière, la vieille Packard s'engagea péniblement sur les côtes de Sherbrooke et finit par atteindre les confins de la ville pour se diriger gaillardement vers la campagne.

Élodie insista aussitôt pour que soit récité le chapelet.

– Un pèlerinage, cé pas des vacances de tourisss'.

Qui oserait contester ses dires? N'avait-elle pas été sauvée de la mort par l'intervention de saint Joseph lui-même? Et n'était-ce pas pour le remercier qu'on allait en pèlerinage à l'Oratoire? Après tout, n'était-il pas le père de l'Enfant-Jésus qui allait naître dans quelques heures?

Au chapelet succédèrent quelques cantiques de Noël, chantés avec plus de cœur que de justesse. On chantait d'autant plus fort dans la guimbarde que la chaufferette se montrait avare de chaleur et que le vacarme des chaînes devenait hallucinant. La glace de la portière avant laissait heureusement un petit jour qui permettait à la fumée de la pipe d'Onésime de s'échapper et d'éviter ainsi l'asphyxie des occupants.

La vieille Packard tint le coup, comme ses occupants, et c'est dans un état d'esprit plein de gaieté que la famille finit par aboutir chez la tante Imelda. La veuve les accueillit avec une joie qui leur réchauffa le cœur, sinon les pieds. Il faut dire qu'elle se demandait, depuis quelques jours déjà, comment elle allait bien «passer» l'énorme quantité de tourtières et de ragoût de pattes de cochon qu'elle avait préparée pour la famille de son fils, l'optométriste: son unique rejeton lui avait hélas annoncé la veille que ses enfants préféraient réveillonner en ville, et qu'ils ne pourraient lui rendre visite cette année.

Imelda rayonnait de satisfaction en servant les trois générations de Best. De quelques années plus jeune que sa sœur Élodie, elle avait fait un heureux mariage avec un notaire âgé, qui avait eu la délicate attention de mourir en lui laissant un joli pécule et une vaste maison libre de toutes dettes. Elle s'ennuyait bien un peu, toutefois elle occupait ses journées à répéter, sur son harmonium à pédales, les pièces qu'elle jouait à l'orgue le dimanche à l'église.

Elle n'avait qu'un défaut aux yeux d'Armand: elle était l'âme dirigeante des «Jeanne d'Arc» de sa paroisse et ne tolérait aucune boisson alcoolisée sous son toit, même aux fêtes.

À la fin du repas, après qu'Élodie eut raconté pour la troisième fois comment elle avait été «miraculée» par saint Joseph lui-même et pourquoi toute la famille se rendait à Montréal en pèlerinage, Imelda dit soudainement:

– J'espère que vous n'oublierez pas de monter la Scala Sancta à genoux?

Le silence qui suivit révéla à quel point la famille de pèlerins était peu au courant des coutumes religieuses en vigueur dans certains lieux de culte, surtout si elles portaient un drôle de nom.

48

– Oui, reprit Imelda, la Scala Sancta. C'est l'escalier saint, si vous préférez. On le monte à genoux pour expier ses péchés ou remercier le saint, en faisant une courte prière à chaque marche. Et si on a une grosse demande à faire à saint Joseph, on en profite. La coutume veut qu'il nous exauce.

– Ah ben! ça parle au torviss, dit Onésime. C'est ben faite pareil les lieux de pèlerinage.

– Bon, ben, cé pas toutt', ça. On a encore un bon bout de chemin à faire. On va y aller nous autres, dit Armand, qui ne perdait jamais de vue le côté pratique des choses.

La famille reprit la route, ragaillardie par le bon repas mais aussi à l'idée de profiter de la fameuse Scala Sancta pour refiler une autre petite demande à saint Joseph.

Armand ne connaissait rien à la topographie montréalaise, de sorte qu'au sortir du pont Victoria, dont la surface carrossable de métal quadrillé avait été une source d'angoisse indicible pour les passagers, le pauvre se perdit dans le Vieux Montréal et erra un bon moment avant de trouver un piéton qui acceptât de les renseigner.

Énervé de conduire dans le brouhaha de la métropole, Armand confondit la Côte Sainte-Catherine et la Côte-des-Neiges… et c'est dans l'angoisse totale que la famille parvint enfin au sommet du mont Royal.

On leur avait dit que l'Oratoire était un gros édifice, tout en hauteur. Cette fois, heureusement, il était difficile de ne pas l'apercevoir dans le soir qui tombait. La voiture garée dans une rue adjacente, Onésime, Élodie, Armand et Jeannette, qui tenait Armand junior dans ses bras, s'approchèrent émus de leur pèlerinage.

L'escalier était là, comme l'avait dit la tante Imelda. Curieusement, cependant, personne ne semblait disposé à l'escalader à genoux. Pour tout dire, d'ailleurs, l'endroit était plutôt désert. On avait nettoyé les marches après la dernière chute de neige, cinq jours plus tôt, mais on n'aurait pu dire si elles convenaient bien aux dévotions.

– Cé pas avec des marches pleines de glace comme ça qu'y vont attirer ben des pèlerins, fit Onésime.

– Ouan, répondit Armand. Pis ça manque de décorations de Noël, trouvez pas?

– On n'est pas v'nus pour chialer, mais pour remercier saint Joseph, coupa Jeannette, qui commençait à ressentir les fatigues de la journée et le poids d'Armand junior dans ses bras. On y va!

– Attendez un peu. On va se salir comme ça. Y a une vieille couverte dans le coffre. On va la mettre sur les marches.

Et Armand de partir aussitôt à la recherche de la secourable couverture.

L'idée n'était pas mauvaise. Les quatre membres de la famille progressèrent lentement, mais avec beaucoup de dévotion. L'embêtant était de déplacer la couverture, toutes les trois marches, mais compte-t-on les marches quand on vient remercier un saint d'avoir sauvé une vie?

Le soir était tombé et la pénombre qui régnait autour de l'édifice leur sembla un peu étrange.

– Ça doit être parce que tout le monde se r'pose avant la messe de minuit. Cé-t-une grosse soirée pour eux autres, expliqua Élodie.

Ils en avaient bien franchi la moitié lorsqu'une voix retentit au pied de l'escalier.

– Eille, vous autres! Qu'est-ce que vous faites là?

Les quatre têtes se retournèrent. Un policier, l'air étonné, se tenait debout près de la porte ouverte de son auto-patrouille.

– On est v'nus remplir une promesse, cria Onésime.

– Je vois ça. Avez-vous perdu une gageure?

– Non, non, m'sieur l'constable, cria Élodie. On est v'nus r'mercier saint Joseph pour ma guérison. On monte la «escaliéra sans tas» de l'Aratoire à genoux.

D'abord abasourdi, le policier éclata tout à coup d'un gros rire sonore qui leur parut sacrilège.

– Vous ferez ben ce que vous voudrez. Mais là, vous êtes en train de grimper les marches de l'Université de Montréal à quatre pattes.

Et, pointant vers l'est, il lança, en essayant de contenir le rire qui lui soulevait les épaules à grosses saccades:

– L'Oratoire est là-bas. Pis les marches, c'est seulement l'été qu'on les monte à genoux.

On aurait annoncé à la famille Best qu'elle s'était trompée d'endroit et qu'elle était à Québec qu'elle n'aurait pas été plus surprise. Chacun crut d'abord à une blague du policier. On se consulta du regard, on soupesa l'incroyable information et, finalement, Jeannette se hasarda à demander:

— Pensez-vous que ça compte quand même pour obtenir une faveur de saint Joseph?

Le rire du policier s'amplifia. À travers ses hoquets, il finit par bredouiller:

— Voulez-vous ben m'dire d'où vous arrivez vous autres? On dirait que vous sortez pas souvent...

— On arrive de Sherbrooke, dit Onésime.

— Ça m'surprend pas, d'abord. Vous avez pas l'air d'avoir vu grand-chose.

La famille Best attendit que la voiture du policier hilare, occupé à raconter la mésaventure à ses confrères au téléphone, eût tourné au coin de la rue, pour plier bagages, submergée par le ridicule.

Leur projet d'aller remercier saint Joseph n'avait désormais plus le même charme, et personne ne protesta quand Armand lança, d'un ton péremptoire.

— On rentre à Sherbrooke, tabarnouche! Au moins, là, y a des églises qui ont du bon sens. On va essayer d'arriver pour la troisième messe. De toutes façons, cé la plus belle; le curé a fini son sermon pis cé là qu'on chante tout' les cantiques de Noël. Pis tant pis pour saint Joseph. On f'ra un pique-nique à Beauvoir l'été prochain et ça f'ra pareil pour le vœu!

La Samaritaine

Julie n'arrive pas à se délester du souvenir de l'immense déception qui lui a inspiré de se lancer dans ce périple. Le stress de la conduite en pleine tempête a séché ses yeux, mais elle revoit encore le visage gêné de Bob lorsqu'il l'a appelée dans son bureau enfumé pour lui annoncer qu'elle n'aurait pas à se présenter au travail après Noël. La récession avait fini par atteindre le petit bureau de traduction où elle suait sang et eau pour un salaire minable.

Un appel au secours à sa jeune sœur Suzanne pour s'inviter à une fin de semaine de ski en Estrie, et elle était en route. Sa voix devait vraiment paraître inquiète au téléphone, pour que sa sœur accepte qu'elle vienne gâcher sa fin de semaine de rêve avec sa nouvelle flamme...

En dépit des voix enfantines apaisantes qui montent du lecteur de cassettes, plus le temps passe, plus la progression de sa voiture devient ardue. La neige assaille le pare-brise à l'horizontale et Julie n'y voit guère.

Enfin! Le panneau indiquant la sortie! D'ici une demi-heure, elle sera devant un bon feu de bois à siroter le réputé «*egg nog*» de Suzanne et à s'épancher sur le malheur qui la frappe. Elle est convaincue maintenant que le nouveau soupirant ne lui en voudra pas: comment fermer sa porte, à Noël, à quelqu'un qui vient de perdre son emploi?

– Non mais, faut-y être assez folle pour se lancer sur une route déserte en pleine tempête!

A-t-elle ralenti sans s'en rendre compte? Les feux du camion se sont évanouis...

Julie panique.

Les coups de frein répétés font déraper la voiture doucement dans la neige.

L'unique phare valide de l'automobile pointe inutilement sur la forêt dense qui borde la route. 16 h 30. La neige en rafales enferme l'auto dans une rotonde éblouissante dans la nuit grise. Julie doit se rendre à l'évidence, elle s'est égarée en pleine montagne. Elle a dépassé la sortie du chemin menant au chalet.

À droite, elle distingue en retrait de la route une antique maison à deux étages, recouverte de bardeaux blancs, comme celles qui illustrent les cartes de Noël. Devant les fenêtres éclairées du rez-de-chaussée, les ampoules multicolores d'un énorme sapin s'agitent sous les rafales.

Julie amène l'auto jusque dans la cour; le dessous de la voiture râpe l'épaisse couche de neige en franchissant de justesse quelques mètres. Aussi satisfaite qu'anxieuse, Julie l'immobilise, jugeant qu'il reste assez d'espace pour faire marche arrière. Elle embraye et appuie précautionneusement sur l'accélérateur: une plainte ironique jaillit des roues avant. D'abord incrédule, elle s'interrompt, pousse un soupir impatient et abaisse la glace de gauche.

Elle tente de nouveau d'enfoncer délicatement l'accélérateur. Le résultat est pitoyable: la voiture s'est déplacée de quelques centimètres vers la droite, laissant apercevoir une surface glacée noirâtre.

– Merde! Y en a marre!

Elle a dû crier sans s'en apercevoir. À la fenêtre de ce qui semble être la cuisine, elle distingue tout à coup une silhouette. Une main repousse un rideau blanc et le visage d'une jeune femme se presse contre la vitre, épiant la voiture et sa conductrice.

Julie éteint rageusement l'unique phare, tourne la clé de contact et sort. Le coffre ouvert, elle cherche, sous ses sacs de voyage et des objets hétéroclites oubliés, la pelle rétractable qu'elle est sûre d'y avoir laissé depuis trois ans.

– Tu n'y arriveras pas.

La voix la fait sursauter. L'inconnue est là, un vieux paletot en raton-laveur sur les épaules, arrivée sans bruit. Ses pieds se perdent dans des bottes trop grandes en caoutchouc noir.

– Vous m'avez fait une de ces peurs, soupire Julie en scrutant les yeux espiègles derrière de petites lunettes rondes à monture de métal. Je ne vous ai pas entendue arriver.

– Sur la neige molle, on ne fait pas beaucoup de bruit en marchant, dit l'autre, souriante.

– Vous avez une pelle?

– Euh... le manche s'est cassé ce matin quand j'ai voulu soulever un morceau de glace. Je fais nettoyer l'entrée par le pompiste du garage du bas de la côte. Mais tu ne peux pas rester dehors comme cela. Viens te réchauffer dans la maison.

– Je ne voudrais pas déranger, fait Julie, tout de même tentée par l'idée de fuir un instant la neige mouillée.

– Je vis toute seule, répond aussitôt la femme, un petit tremblement dans la voix. Tu pourras appeler au garage pour demander qu'on vienne tirer ta voiture.

– OK. C'est probablement ce qu'il y a de mieux à faire pour l'instant.

Posant avec prudence ses bottes à talons hauts dans les traces de pas laissées par son hôtesse, elle la suit jusqu'à la maison.

– Entre, entre, dit celle-ci en retirant son paletot qu'elle accroche à une patère victorienne dans l'étroit vestibule, avant de pousser la porte intérieure.

Un rôti de porc mijote dans un chaudron en fonte noire sur un poêle à bois à deux ponts. Julie sent fondre tout le ressentiment que sa mésaventure avait compacté dans son cœur. La maison respire l'accueil rassurant...

– Mon Dieu... Un poêle comme celui de ma grand-mère. Mais le sien était vert et beige... C'était écrit

«*Windsor Ontario*» sur la porte... Mais... Mais il est tout à fait identique! Il est beige et vert et il y a même l'inscription sur la porte. C'est bizarre, dit-elle aussitôt. De l'entrée, il m'avait paru différent...

L'autre hausse à peine les épaules en souriant.

– Le téléphone est sur le mur de la dépense. Le numéro du garage est sur une carte épinglée au-dessus. Ils sont peut-être encore en train de fêter Noël…

Julie se retrouve dans une petite pièce sans fenêtre attenante à la cuisine. Des tablettes fixées aux murs ploient sous les pots de conserves maison et d'aliments secs. À gauche, en entrant, tout près du chambranle, un antique téléphone mural noir à cadran s'offre à sa vue.

À la quinzième sonnerie, la voyageuse doit admettre l'évidence: la tempête a convaincu le garagiste de fermer pour la nuit.

– Tant pis. Je vais appeler Suzanne pour la rassurer.

Même manège, même résultat. Curieusement, sa jeune sœur ne répond pas.

– Encore en train de baiser, la p'tite zouave, marmonne-t-elle. Il me semble qu'elle pourrait se contrôler un peu...

Elle revient, dépitée, dans la cuisine où la jeune femme se berce sur une berceuse sans accoudoir; selon une ancienne méthode, elle tisse un foulard fléché de ses doigts agiles, jouant avec des brins de laine de diverses couleurs.

– Le garage Connoly est fermé? Tu vas passer la nuit ici. Demain matin, tu verras la vie d'une toute autre façon.

Le regard pétillant de la jeune femme fait sourdre en Julie une vague de reconnaissance.

– Ça me gêne... J'arrive comme un cheveu sur la soupe...

– Les distractions sont rares, *dear*. On va se gâter, toi et moi. Je pense qu'il me reste une bouteille de vin dans la dépense. Va la chercher pendant que je mets la table.

– Je n'ai pas vu de bouteille quand j'ai téléphoné...

– Les filles de la ville! Regarde bien. Deuxième tablette, à droite en entrant.

Soucieuse de ne pas contrarier son hôtesse, Julie retourne à la dépense sans trop de conviction. À l'endroit indiqué, une bouteille de Chablis allonge son cou entre deux pots Mason bourrés de haricots.

– J'aurais juré...

Julie prend doucement la bouteille.

– 1969, lit-elle sur l'étiquette.

Curieuse, elle tente de nouveau de communiquer avec Suzanne. La sonnerie retentit à répétition. Aucune réponse.

Portant la bouteille avec précaution, bien décidée à faire payer à sa sœur son manque de considération, elle revient à la cuisine où la table est déjà mise.

– J'ai sorti ma meilleure vaisselle. Je n'ai pas souvent l'occasion de fêter.

Julie est estomaquée. Coupes en cristal, argenterie ancienne, couverts impeccables à fine bordure d'or sur une nappe blanche à rebord de dentelle...

Comment une table peut-elle se transformer aussi radicalement en si peu de temps?

– C'est... c'est de toute beauté. On dirait que... tout est prêt pour le réveillon...

– Et pourquoi pas? Comme j'ai passé le dernier à me morfondre toute seule, j'ai décidé d'en faire un vrai, ce soir. Est-ce que ça te dérangerait de t'occuper du vin pendant que je fais le service?

Julie se hâte aussitôt de répondre à l'invitation:

– Bien sûr, voyons.

Au moment de mettre la bouteille de vin dans le seau à glace, Julie se retourne vers son interlocutrice et dit:

– Ça serait peut-être le temps de se présenter? Moi je m'appelle Julie. Julie Cousineau.

– Moi c'est Mary. Mary Walsh.

– Tu parles drôlement bien français pour une anglophone!

– Merci. Mon ex était un francophone, un petit Québécois «*funky*» qui a fait plus pour l'entente des deux solitudes que tu ne pourras jamais deviner.

Julie sourit en débouchant la bouteille. Elle s'efforce de ne pas voir la tristesse qui a assombri temporairement les yeux de son hôtesse.

– Mary! Tu m'as l'air d'être toute une femme. J'ai hâte de mieux te connaître.

– Dépêche-toi de servir. On va jaser.

* * *

Comment peut-il encore rester du vin? Mary trempe à peine ses lèvres dans son verre, il est vrai, mais Julie a la conviction d'avoir vidé le sien plusieurs fois et pourtant, un fond bien frais est toujours disponible dans la bouteille. Qu'importe! Elle se sent si bien. La radio égrène en sourdine des *Holy Night,* des *The First Noel* et des *O Tannenbaum,* captés à une station américaine.

– Tu veux encore un morceau de pouding au gingembre, Julie?

La jeune femme a un geste éloquent de la main.

– Surtout pas! J'ai l'impression d'avoir pris cinq kilos!

Au moment d'allumer une cigarette, Julie remarque l'air paniqué de son hôtesse.

– La fumée te dérange, n'est-ce pas?

– La fumée... oui... c'est ça, la fumée, reprend l'autre d'une voix qui a pris un ton angoissé. Je n'ai plus les poumons très solides. Une pleurésie qui a mal tourné.

– Ah oui? Mais... t'as l'air si bien...

– Pas d'homme, pas de soucis, rétorque Mary avec un petit gloussement d'adolescente prise en flagrant délit de grossièreté.

– Ah ça, tu peux le dire, fait aussitôt Julie dans un rire amer. Je suis bien placée pour le dire.

– Pourquoi?

– On m'a congédiée à midi. Manque de contrats, paraît-il. Je ne l'ai pas pris. Il faut dire que récemment, il y a beaucoup de choses que je ne prends pas...

tellement que mon conjoint a décidé lui aussi d'aller respirer ailleurs. Je ne suis plus très bien dans ma peau. Mon contrat devait se terminer dans six mois et je n'ai rien d'autre en vue. Parfois je me dis que j'aimerais être ailleurs, tout oublier, me renfermer dans mon cocon pendant quelque temps et attendre que l'orage passe. Puis sortir de ma coquille comme un poussin et recommencer… On efface tout et on repart à neuf! Sans souvenirs tristes, sans regret, comme après un divorce à l'amiable...

Julie sent la tristesse comme une éponge humide dans sa poitrine.

– J'ai probablement trop bu, se dit-elle intérieurement, en avalant tout de même une autre gorgée de ce Chablis si frais et si onctueux.

– Dans ma famille, ce n'était pas bien vu de divorcer, susurre Mary, un peu honteuse. Si seulement les Irlandaises avaient eu ce droit-là, jadis, il y aurait eu moins de malheureuses.

– Je bois au divorce, s'exclame Julie, presque en regrettant d'avoir haussé le ton.

– Peut-être as-tu raison, conclut Mary avec un sourire. Je ne suis pas sûre de bien comprendre toutes les modes. Je suis une vraie fille de la campagne. Moi aussi, parfois, je me dis que je n'aurais pas détesté vivre différemment. Mais... je parle et j'oublie l'heure. Tu dois être fatiguée de ton voyage. Et j'aimerais bien piquer un petit somme avant la messe de minuit...

– J'oubliais que c'est la veille de Noël. Vas-y, dit spontanément Julie avec un empressement qui la surprend elle-même. Je vais mettre de l'ordre dans la cuisine. Je n'ai pas sommeil. Je vais me bercer devant le poêle avant de me coucher. Mais comment iras-tu à la messe de minuit?

– À raquettes. On est à peine à 20 minutes de l'église, en passant par la piste de motoneiges dans le bois, derrière la maison.

Mary replace son chandail autour de sa poitrine et sourit de contentement.

– Je vais me sentir plus en sécurité en sachant que tu surveilles le poêle. Je n'aime pas beaucoup aller au lit quand il y a encore une flambée. Je te l'avoue: j'ai un peu peur du feu.

– Ne t'inquiète de rien. Merci encore pour le bon réveillon.

– Voyons donc, entre femmes... Je pense que je vais faire de beaux rêves. On dort bien l'hiver durant les tempêtes, n'est-ce pas?

Mary a un dernier regard réjoui à l'intention de Julie et se dirige vers sa chambre à pas mesurés, comme si elle avait plaisir à marcher.

Dès que la porte s'est refermée sur elle, Julie a vite fait de ramasser les couverts et de les laver avec précaution pour ne point troubler le sommeil de son hôtesse. Ce faisant, elle constate que les plats sont vides de tout reste.

– Mon doux, nous avons fait honneur à son réveillon, se dit-elle avec un sentiment de gêne. Mary comptait peut-être sur les restes pour un ou deux autres repas. Je la dédommagerai demain.

Au moment de tirer la berceuse près du poêle, son attention est attirée par la bouteille de vin, encore pleine au tiers. Elle s'en verse. Il est toujours délicieusement frais, dans son seau.

De nouveau, elle s'étonne. Le temps semble défiler au ralenti, comme dans un film. Julie a l'impression de se regarder agir, de ressentir des émotions à la place de quelqu'un d'autre.

La berceuse émet de petites plaintes d'aise à chaque lent mouvement que lui imprime Julie, ramollie par la douce langueur que fait régner le gros poêle. Le bon vin lui suggère des comptines que lui chantait sa tante Clothilde après la mort de sa mère. Dans sa tête, elle se chante les premières strophes du *Sommeil de l'Enfant-Jésus*.

– Comme c'est loin déjà... La vie passe tellement vite, pense Julie en buvant une gorgée...

✳   ✳   ✳

A-t-elle dormi? Sûrement pas. Le feu n'a pas baissé dans le poêle et elle tient toujours son verre à la main. Pourtant, elle a l'insaisissable sentiment que sa conscience a dérapé un moment. Elle fouille sa mémoire. Rien. L'impression du vide, d'un battement d'une durée imprécise. D'ailleurs est-ce bien vrai? Curieux.

Les chiffres à cristaux liquides de sa montre marquent 22 h 38. Quelle heure était-il lorsqu'elle s'est assise dans la berceuse? Elle n'en a pas un souvenir précis, mais elle se rappelle que Mary a dit qu'elle voulait dormir un peu avant la messe de minuit...

Le besoin de tabac la tenaille. Ses narines respirent à l'avance l'odeur familière de la fumée. Que dirait Mary si elle en grillait une? Juste une? Elle dort probablement et ne s'en formaliserait pas.

Et si l'odeur de la fumée la réveillait? Qu'à cela ne tienne: Julie enfile son anorak et marche à pas lents pour amoindrir les craquements du vieux plancher de bois peint. La porte du vestibule grince lorsqu'elle la tire vers elle. Elle se fige. Aucune réaction dans la chambre. Rassurée, la jeune femme s'engouffre et referme la porte sur elle.

La lueur de la neige s'insinue à travers les vitres givrées de la porte extérieure et reluit faiblement sur les vêtements pendus à la patère. Du clocher de l'église, des airs de Noël déformés par la distance carillonnent doucement, comme une gigantesque boîte à musique.

L'allumette craque: elle a une seconde d'affolement inexplicable devant la petite flamme qui s'étire, puis l'approche de la cigarette. La première bouffée lui brûle un peu la gorge: elle n'a pas fumé depuis des heures. Elle secoue l'allumette; ne sachant qu'en faire, elle la garde à la main.

Elle goûte à une détente qui l'irradie. À travers la vitre, son regard ne perçoit qu'un vague tourbillon blanc. Le vent siffle sur le seuil.

– Curieux tout de même... Je n'ai entendu passer aucune voiture de toute la soirée...

La cigarette grillée au tiers, Julie tousse et décide de s'en débarrasser. Elle entrouvre la porte, qui résiste sous l'effet combiné du vent et de la neige accumulée sur le balcon, et tente de jeter le mégot à l'extérieur.

Une violente poussée de vent referme la porte avant qu'elle ait pu passer la main dans l'entrebâillement. Le geste qu'elle fait pour éviter que son poignet ne s'y blesse est si brusque que la cigarette allumée tombe derrière elle.

Un instant interloquée, elle se penche pour retirer bottes et raquettes. Rien. Elle cherche en vain des yeux le bout incandescent. Curieux tout de même; le mégot allumé est pourtant tombé là. Elle sent l'odeur du tabac qui se consume.

Derrière elle, sous la porte, le souffle du vent prend des allures de tornade et s'engouffre avec force, glaçant ses chevilles. Soudain, la fumée a l'odeur du papier journal qui brûle... Penchée au-dessus du fatras des bottes et des rebuts, elle reçoit en plein visage une langue de feu qui s'agrippe aux vieux manteaux pendus aux crochets et lèche la cloison vernie.

Julie s'affole! Il faut prévenir Mary et chercher vite de l'eau!

La porte intérieure résiste. Elle s'acharne, essaie de tourner la poignée à deux mains.

– Au secours! hurle-t-elle.

Elle martèle le montant en bois d'un poing vite endolori. Mary ne donne aucun signe de vie.

La fumée âcre l'asphyxie, les flammes s'engouffrent: il lui faut sortir immédiatement. Rassemblant ses forces, elle se tourne vers la porte extérieure, qui cède sans résistance cette fois, et se retrouve dehors, à la lueur des flammes orange et vertes qui consument déjà tout le vestibule et s'attaquent à l'étage. Le bois qui brûle crépite comme des branches sèches rompues sur le genou.

– Mary! Maryyyy!

L'embrasement de toute la façade la fait hurler d'horreur.

– Maryyyy!

Le désespoir lui serre le cœur. De l'aide! Il y a bien un voisin qui viendra lui prêter main forte, qui pourra appeler les pompiers! Un fort coup de vent attise les flammes; les vitres des fenêtres de la cuisine explosent. Prise d'un tremblement irrésistible, Julie se détourne du bûcher et s'élance vers le chemin au pas de course.

Le bruit de son souffle rauque remplace le crépitement du feu dans ses oreilles. Ses jambes la supportent mal dans les traces de pneus à moitié comblées par la neige. Deux murs de sapins noirs enserrent la route et empêchent de voir toute trace d'habitation. Julie est exténuée: a-t-elle déjà tant couru? Elle ne voit même plus la lueur de l'incendie au-dessus des grands arbres. Du village, l'appel des cloches s'égrène dans l'air vif.

Le froid glace la sueur qui coule dans le dos. Elle tremble de tout son corps, tentant de se protéger en refermant ses bras sur sa poitrine. Le vent polaire, qui fait tomber la neige des branches d'arbres, l'insensibilise peu à peu. Elle entend un grondement d'orgue s'amplifier dans sa tête et s'effondre.

❋   ❋   ❋

Une matière froide et humide lui brûle le visage. Un élancement au dos gêne le mouvement qu'elle esquisse. À travers ses paupières entrouvertes, elle distingue le jour. Le ciel a pâli et seule Vénus vacille encore à l'horizon. Deux mains la secouent. Une odeur de cambouis lui effleure le nez.

– Ça va?

La voix sonore et anxieuse la surprend. Elle aperçoit au-dessus d'elle une tête de barbu, coiffée d'une tuque à l'effigie d'une équipe de hockey.

Elle veut se redresser, geint et fait un effort surhumain pour bouger. Deux bras vigoureux l'enserrent et l'aident à s'asseoir. Julie réalise qu'elle est sur une motoneige et que son conducteur a déposé son lourd parka sur ses épaules. Sa tête résonne et elle a peine à se mouvoir tant le froid la paralyse. La neige dont il s'est servi pour lui frotter le visage fond dans le cou.

– Le feu! éructe soudain Julie.

L'autre la regarde, interloqué.

– Où ça?

Julie geint et se lève péniblement, pleinement consciente maintenant.

– Chez Mary, au sommet de la côte. Vite, il faut prévenir les pompiers!

– Mais, il n'y a pas...

– La maison est en feu j'vous dis! Faut y aller!

– Écoutez mademoiselle, ça serait préférable de prendre soin de vous. Vous avez été exposée au froid. Il faudrait que je vous conduise chez le docteur Girouard...

– J'y retourne sans vous alors!

Les pétarades de la motoneige éclatent comme un bruit de mitraille dans l'air du matin. L'homme la regarde avec un drôle d'air puis, en indiquant la place arrière d'un signe du menton, il dit simplement:

– Allons-y.

En quelques secondes, le duo parvient à l'entrée de la résidence, à l'ahurissement de Julie qui croyait avoir couru longtemps...

La motoneige vient se ranger à gauche de sa voiture abandonnée. Le conducteur coupe les gaz et se retourne vers elle, ses yeux ironiques plantés dans les siens.

Julie descend du véhicule et fait deux ou trois pas avant de s'immobiliser. Devant elle se dressent les décombres de la maison où Mary l'a accueillie la veille. Mais, des chicots noircis sous les pans de toiture calcinée et effondrée, ne monte aucune fumée. Les fenêtres sans vitre révèlent un intérieur dévasté. Une abondante couche de neige recouvre les ruines.

La voix du motoneigiste parvient à Julie comme dans un écho lointain.

– C'est arrivé il y a un peu plus de deux ans. Son mari est parti à Montréal avec l'institutrice. Le frère de Mary a voulu la forcer à vendre la maison; il voulait la

transformer en auberge pour le centre de ski qu'il construisait plus bas. Elle a refusé; elle voulait attendre que
son mari décide de lui revenir. Son frère a voulu lui
faire peur et cela a mal tourné. La maison a passé au feu
comme une boîte d'allumettes. Le gars est à l'asile. On
n'a pas trouvé grand-chose du corps de Mary...

Julie n'écoute plus. Elle ne sent même plus la
morsure du froid. En elle monte une espèce de sérénité, comme un bien-être qui la gagnerait cellule par
cellule à une vitesse vertigineuse. Le soleil levant
dore la neige bleue et pacifie tout. Un gros matou
noir et blanc sort paresseusement du hangar toujours
debout.

Et tout à coup, il se passe quelque chose d'étrange
en elle. Elle fait quelques pas en direction du chat qui
l'observe et dit:

– *Sandy? Come kitty, come. Come see mummy,
Sandy.*

Les yeux du chat la fixent intensément. Un miau-
lement quasi féroce jaillit dans le matin encore incertain. Puis il se hasarde et enfin court jusqu'à Julie et
se love autour de ses jambes en miaulant de jouissan-
ce, jusqu'à ce qu'elle le prenne dans ses bras et le flatte avec amour.

– C'est votre chat? demande l'homme, interloqué.

Julie, hésite, comme si elle cherchait ses mots.

– Il ressemble à un chat que j'ai eu... jadis.

Au moment de la quitter, une fois la voiture dé-
sembourbée, le motoneigiste enfourche sa monture,
met ses moufles et se hasarde à dire:

– À propos, je ne vous ai pas demandé votre nom...
Julie sourit et répond:
– Mary... Mary Wa... Mary Walsh...

Noël en juillet

En ce 8 juillet remarquablement chaud, Rodney Sturges sauta du lit à 6 h 46 comme d'habitude, parce que sa gaucherie proverbiale l'avait empêché de régler le radio-réveil à 6 h 45 précises, quand il l'avait acheté, treize ans plus tôt.

Il fit sa toilette avec un soin méticuleux, revêtit des vêtements mous et confortables et sortit de sa roulotte fraîchement astiquée, une copie de *The Gazette* de la veille à la main, bien disposé à faire honneur aux œufs et au bacon dont le parfum embaumerait bientôt l'air.

Le comptable quinquagénaire, employé au ministère du Revenu du Canada, homme austère par goût, honnête par obligation et paisible par nature, s'apprêtait à vivre la période de ses vacances qu'il bénissait entre toutes: celle où il entreprenait les préparatifs pour célébrer «Noël en juillet», la grande fête estivale du camping «Chez Ti-Pit», dont il était un client privilégié depuis maintenant quinze ans. Cette assiduité lui valait, entre autres faveurs, de conserver le même emplacement pour son «château» désormais privé de roues (un avantage hautement apprécié dans la sous-culture des campings) et surtout, d'être membre à vie du comité organisateur de la Noël estivale.

Rodney et sa femme séjournaient cinq semaines, chaque été, dans ce camping, à une quarantaine de kilomètres de Montréal, peu soucieux de la rumeur infernale de l'autoroute qui passait à quelques dizaines de mètres de leur villégiature.

Rodney s'étira voluptueusement. La plupart des occupants des roulottes voisines dormaient encore, bercés par le ululement des camions-remorques filant à vive allure. La voix discordante d'un trop enthousiaste chroniqueur qui détaillait à la radio, dans une tente voisine, un embouteillage sur une autoroute d'accès à Montréal, le fit sourire. Il actionna le mécanisme du magnétophone et la voix sirupeuse de Robert Goulet s'éleva, répandant les paroles de l'*Ave Maria* jusqu'aux érables avoisinants.

Le campeur contempla, ému, son minuscule jardin d'un mètre sur deux, soigneusement entretenu, entouré d'une petite clôture en plastique blanc achetée au village voisin.

Ce jardin suscitait cette année l'admiration des autres campeurs. Mine de rien, les vacanciers nouvellement arrivés faisaient inévitablement une courte promenade pour venir l'admirer. Rodney avait même eu droit à un reportage avec photo dans le petit journal hebdomadaire polycopié de l'immense camping, capable de loger 400 roulottes et maisons sur roues.

Le minuscule emplacement regorgeait de poinsetties rouges, crème et roses, dont l'existence envahissante était le résultat des soins maladivement jaloux de l'horticulteur obsessif: il leur avait consacré son hiver, dans le sous-sol de son bungalow de Saint-Hubert. L'ensemble, ahurissant, retenait l'attention des promeneurs, qui se sentaient obligés de complimenter un Rodney jamais loin de sa caravane, immobile, feignant l'humilité.

La contemplation de ce havre de paix à son image allumait en lui la flamme de la satisfaction personnelle...

Il poussa néanmoins un long soupir. La trentaine de plants qui serviraient à décorer l'autel où serait chantée la messe de minuit offraient de magnifiques feuilles vertes bien grasses, mais ils ne pouvaient, hélas, présenter de pétales de couleur, puisque la période de floraison était encore bien éloignée. Rodney avait dû se contenter de les orner de feuilles de soie colorée, imitant à la perfection les véritables. Un jour peut-être, si Dieu était clément, parviendrait-il à transgresser les lois de la génétique et à forcer les poinsetties à fleurir à contre-temps.

De retour à la moiteur humide de la roulotte, pour le petit-déjeuner, il tira momentanément son épouse Lucette (à la retraite depuis trois ans) de son épluchage des synopsis de téléromans des chaînes américaines, en lui disant sur un ton faussement énergique:

– Si je ne gagne pas le Père Noël d'or de la meilleure décoration, cette année, c'est qu'il n'y a pas de justice.

Elle leva les yeux de son horaire-télé en sirotant une gorgée de café soluble tiède dans sa tasse à l'effigie du prince Charles et de Lady Diana. Un vague sourire d'approbation trembla entre son grand nez pointu et son menton fuyant, avant qu'elle ne se replongeât dans sa lecture.

* * *

La félicité de Rodney dura deux jours!

Au retour de leur promenade, cet après-midi-là, sur le sentier pédestre où des haut-parleurs fixés aux troncs des arbres diffusaient de la musique traditionnelle du temps des fêtes, la consternation le glaça à quelques enjambées de sa plate-bande: une ambulance emportait la dépouille de son voisin, Hercule Lanouette, décédé d'une crise cardiaque dans son sommeil.

Rodney ne vouait pas une amitié indéfectible à ce pauvre Hercule (son tabagisme impénitent l'ulcérait au plus haut point), mais le vieux célibataire presque sourd gardait un œil sur le lit de poinsetties, lorsque d'aventure le couple Sturges s'aventurait à Saint-Hubert, pour vérifier si des cambrioleurs ne les avaient pas dépossédés des «petits nègres en plâtre» qui ornaient leur pelouse. Hercule n'avait pas son pareil pour mettre en garde les enfants aventureux qui auraient voulu gambader trop près du jardin botanique miniature .

Le lendemain, après que de lointains parents furent venus récupérer, l'air ennuyé, l'antique roulotte

de style «avion» du défunt Hercule, Rodney suc-
comba à un grand abattement. Il lui faudrait doréna-
vant consacrer tout son temps à la surveillance de ses
plants, cela à quelques jours seulement de la traditionnelle célébration de «Noël en juillet», qui avait
fait la réputation de ce terrain de camping dans tout
le Québec, et même en Nouvelle-Angleterre. Une
chaîne de télévision avait même manifesté le désir
d'en réaliser un reportage cette année, dans le cadre
d'une émission humoristique.

L'arrivée du couple Liboiron et de leurs quatre
enfants fut pour l'horticulteur amateur «le jour le plus
long». Il ne se souvenait pas d'avoir été aussi déprimé
face à l'adversité, sauf peut-être quand il avait appris
qu'un MacDonald se construisait à quelques dizaines
de mètres à peine de son bungalow.

L'excitation des enfants était à son paroxysme. Ils
ne se lassaient pas d'entrer et de sortir de la longue roulotte garée de travers, au grand dam du surveillant du
terrain qui jurait d'une voix forte en demandant au père
de ranger correctement l'interminable véhicule
d'où émanait une cacophonie musicale impossible à
identifier.

Les deux jeunes parents semblaient digérer cette
cohue sans préoccupation apparente. Ils n'interve-
naient pas lorsque les enfants décidaient d'aller explo-
rer les enclos environnants pour y entreprendre de
dévastatrices parties de cache-cache, au désespoir des
campeurs et de Rodney.

L'aînée des enfants, une fillette délurée d'une dizaine d'années, secoua même la porte de la roulotte, agacée de ne pouvoir entrer s'y cacher.

L'exaspération de l'horticulteur était à son comble et, malgré les supplications de Lucette, il était déjà sorti plusieurs fois pour intimer aux enfants l'ordre de faire attention à ses plants. La paix n'était plus qu'un mot du dictionnaire...

❊ ❊ ❊

Courbaturé par une nuit d'insomnie angoissante, Rodney vit le jour se lever avec une lenteur désespérante. La lecture des vieux *Reader's Digest*, qu'il collectionnait depuis 1947, ne s'était pas avérée, cette fois, le somnifère qu'il y trouvait habituellement.

Lucette, elle, avait pris le parti de s'adapter à la nouvelle situation. Sitôt après déjeuner, elle entreprit de rafraîchir la tenue de la fée des étoiles, rôle qu'elle jouait chaque année à la grande fête nocturne.

Comble de malchance, la tribu voisine n'avait guère de penchant pour la grasse matinée et le quatuor bruyant, une fois un semblant de petit-déjeuner expédié, fut vite dehors à chasser les brumes du sommeil en se lançant un *frisbee* qui atterrissait une fois sur deux dans l'impeccable plate-bande de Rodney, le plongeant dans une morosité dépressive.

Il répétait au moins quatre fois l'heure à Lucette:

– Ça y est. C'est sûr que je peux dire adieu au Père Noël d'or, maintenant. Voir si je vais pouvoir gagner le concours de la plus belle décoration avec des plants tout brisés... Phuiittt!

À mesure que la journée avançait, le cher homme eut de plus en plus de difficulté à réprimer ses accès de déprime. Même lorsque le calme revint le soir, dans la roulotte voisine, même lorsque les derniers rires et les dernières bousculades se furent estompés, Rodney ne put se laisser aller à profiter de la quiétude. Il était hanté par la crainte de savoir que le résultat de ses soins méticuleux, quasi maniaques, était sous la menace de ces Huns nouveau style.

Et lorsque Lucette lui demanda s'il l'accompagnait à la répétition de la chorale, où l'on devait répéter ce soir-là *Adeste Fideles*, c'est avec la joie de vivre en déroute que le pauvre Rodney suivit son épouse jusqu'au terrain de base-ball, lieu de célébration de la messe de minuit estivale.

✳ ✳ ✳

Mais Rodney n'avait encore rien vu!

Le malheur prit la forme, le lendemain soir, d'un quadrupède nouveau venu, un affreux roquet jaune et blanc d'une saleté qui en disait long sur ses antécédents de bâtard, chassé de ferme en ferme, et que les enfants du voisin adoptèrent aussitôt, pâmés d'admiration devant ce cadeau... de Noël inattendu.

77

N'eût été l'odeur captivante des côtelettes de porc qui rissolaient depuis quelques minutes, le désespoir de Rodney aurait atteint une profondeur abyssale. Il grignota plus qu'il ne mangea, silencieux, insensible à une interprétation à l'orgue électrique d'airs de Noël que Lucette faisait jouer sur le magnétophone portatif.

La pauvre essaya bien de lier quelques bouts de conversation les uns aux autres, mais ce fut peine perdue. Elle finit par caler sous le rebord de son assiette un magazine de potins sur les vedettes de la télévision, apparemment insoucieuse des sombres pensées qui hantaient ce pauvre Rodney.

Au dessert cependant, elle se hasarda à lui faire une douce remontrance:

– Tu ne trouves pas que tu t'en fais un peu trop avec des riens, Rod? Tu vois les choses pires qu'elles ne le sont. Les voisins ne sont pas là toute la journée; ils emmènent souvent les enfants en promenade.

– On dirait que tu prends leur parti...

– Bien non, Rod. Seulement, je commence à trouver que c'est triste de vivre comme ça... Nous sommes venus ici pour nous amuser, comme chaque année...

– C'est vrai. Peut-être qu'on ferait mieux de déménager dans un autre terrain de camping.

– Jamais!

La réponse de Lucette fit tressaillir Rodney. Il perçut dans son attitude quelque chose qu'il ne lui connaissait pas et qui ressemblait à de la colère.

– J'ai passé 15 étés de ma vie ici, reprit-elle sur un ton nettement agressif. J'y ai vu vieillir nos voisins, pousser les arbres. J'aime la roulotte, c'est ici que sont mes souvenirs et je veux y rester tant que je le pourrai, parce que je n'ai rien d'autre. Arrête tes folies, Rodney Sturges! *Enough is enough*! Ces gens-là ont le droit de vivre comme tout le monde. Au lieu de bougonner tout le temps, essaie donc de parler aux enfants. Ils ne te mangeront pas. Et tu vas voir comme ça peut être fin, des enfants... Évidemment, tu ne peux pas comprendre ça, puisque tu n'en as jamais voulu...

Lucette se tut et joua un instant de sa cuiller dans son *Jell-O*. Elle en avait dit plus d'une seule traite qu'elle n'avait jamais osé en dire de toute sa vie. Rodney aurait dû le comprendre et saisir l'occasion de se taire pour méditer ses propos. Il choisit de parler:

– Tu oublies qu'il y a aussi un maudit petit chien jappeur qui vient de faire son apparition dans le décor... Puis, de toutes façons, tu les défends parce que c'est des francos...

Il ne put continuer. Lucette s'était levée d'un seul élan, faisant tomber sa chaise à la renverse. Le regard qu'elle pointait sur Rodney lui fit craindre que le plat de *Jell-O* qu'elle tenait à la main droite n'entre en collision avec son visage. Heureusement pour lui, l'indignation de sa femme se manifesta en paroles:

– Maudit «*bloke*»! Tu seras donc toujours bourré de préjugés. Arrange-toi avec tes problèmes, mais n'en parle plus. Moi, je reste ici, voisins ou pas.

Elle s'extirpa de l'espace étroit entre la table et la banquette, en accrochant le couvert de Rodney. Un bruit cristallin de vaisselle brisée fit conclure à l'horticulteur harassé que le service à vaisselle, constitué avec les primes obtenues il y a vingt ans chez un détaillant d'essence, ne serait plus complet désormais.

– *Damned*! jura Rodney, pendant que de la roulotte voisine une voix cria:

– Silence! Y'a des enfants qui dorment ici.

✳ ✳ ✳

Le silence, Rodney le fit, bien qu'il ne fût pas exactement comme il l'avait prévu. Sa roulotte se mua du jour au lendemain en un monastère cistercien, Lucette ne s'adressant à lui qu'en cas d'extrême nécessité, c'est-à-dire pour l'avertir de passer à table.

Côté jardin cependant, la ligne de front demeurait fort active. Rex, l'horrible chien à poils ras dont une marâtre nature avait permis l'existence, ne s'était pas contenté de geindre toute la nuit: il réservait à Rodney la même animosité que celui-ci vouait à ses jeunes maîtres.

Sans que l'Écossais eût même tenté de l'approcher, la bête manifestait à son égard une inimitié galopante, qui la transformait en machine à japper chaque fois qu'il avait le malheur de mettre la tête dehors.

Rodney jouait de malchance. S'il voulait consacrer quelque attention aux travaux qui incombent à tout jardinier qui se respecte, le chiot accompagnait chacun de ses gestes et déplacements d'aboiements aigus, convaincu que son territoire était menacé par le morose bipède.

Il arriva, deux jours après la venue de l'ignoble cabot, que Rodney dut sortir un escabeau pour procéder à l'installation des lumières multicolores destinées à souligner le moment imminent de la grande fête.

Le concert d'aboiements atteignit cet après-midi-là une intensité lancinante. Abandonné près de la roulotte par les enfants partis se baigner dans un lac artificiel célèbre pour ses vagues tout aussi artificielles, Rex se laissa aller à ses agissements irritants. Il parvint sans peine à casser la corde qui le retenait à la roulotte, pour venir se trémousser dans la plate-bande et témoigner sa colère à Rodney, en équilibre instable sur l'escabeau.

Tout aussi furieux que l'animal, Rodney descendit précipitamment de l'escabeau en ratant un échelon, et entreprit de pourchasser l'envahisseur à l'aide d'une rallonge électrique qu'il faisait tournoyer au-dessus de sa tête.

Mais Rex eut tôt fait de se cacher lâchement derrière une roue de la roulotte. Convaincu que l'animal allait inévitablement saccager un jardin qu'il aimait plus que lui-même et qui pouvait lui valoir la décoration tant convoitée sous les feux de la télévision, Rodney sombra dans une sourde mélancolie.

* * *

Le lendemain matin, tandis qu'il procédait à genoux à l'extraction des minuscules mauvaises herbes de sa plate-bande, il médita sur une façon de faire efficace.

Il écarta immédiatement l'achat d'une carabine, trop coûteux. Et on n'achète tout de même pas du curare comme une livre de clous.

Mine de rien, il surveillait, l'œil en coin, le territoire de son ennemi juré.

Rex y était maintenant retenu au moyen d'une chaînette qui paraissait destinée à s'emmêler dans les chaises en aluminium abandonnées pêle-mêle, plutôt qu'à empêcher l'animal de répéter son exploit de la veille.

Rodney fut donc à même de constater que le chiot avait commencé à faire des ravages sur le terrain avoisinant le véhicule: des excréments jaunes ou rouges jonchaient l'herbe et des trous sombres témoignaient des travaux de sape de l'affreux quadrupède.

Il suffisait qu'il s'échappât de nouveau pour venir semer la désolation et le carnage dans le chef-d'œuvre floral de Rodney. La vision de l'affreux chien jaune en train de déféquer et d'uriner sur ses magnifiques poinsetties le hanta tellement qu'elle renforça sa détermination. Il fallait supprimer cette menace ambulante! Le trophée du Père Noël d'or valait ce tribut.

Et c'est alors que lui revint en mémoire une chronique vétérinaire du *Journal de Montréal*, lue à la sauvette chez le coiffeur du village. Le texte mettait en garde contre l'ingurgitation de chocolat par un chien. La nocivité du produit est telle qu'elle peut entraîner la mort.

Pourquoi ne pas y avoir songé plus tôt? Et si le chocolat est nocif, est-ce à dire que les laxatifs sous forme de chocolat seraient encore plus expéditifs pour le débarrasser de Rex?

Décidé à trouver le médicament, il choisit une pharmacie éloignée du terrain de camping, là où il n'était pas connu.

Après un copieux lunch, il prit un soin infini à chercher les clefs de sa voiture, espérant que Lucette remarquerait qu'il s'apprêtait à sortir et lui adresserait la parole. Rodney se hasarda à glisser un timide:

– Je vais acheter d'autres guirlandes de lumière pour décorer.

Il ne reçut qu'un vague «Mmm» en guise de réponse.

Le soleil au zénith ponctuait cette magnifique journée d'été. Il se sentit ragaillardi en s'approchant de sa Dodge «qui-ne-sortait-jamais-l'hiver», toujours impeccable en dépit de ses 12 ans bien sonnés.

Quand il mit la clé dans la serrure, sans avertissement, des aboiements furieux retentirent à ses pieds.

Rex bondissait et s'époumonnait avec la vigueur d'un berger allemand à qui on veut prendre son os juteux après une semaine de jeûne. Il cria d'une voix forte:

– *Go away! Scram you damn mutt!*

Mais le chien s'entêta, insensible aux objurgations en anglais. Il se rua sur la jambe de l'infortuné Rodney et planta ses dents pointues dans la chair, à travers le pantalon en toile.

L'attaque ne dura qu'une fraction de seconde. Surpris de sa propre audace, l'animal avait reculé sans cesser de japper et ne savait plus où donner de la gueule.

Une voix tonitruante cria:

– Rex! Ici!

C'était le voisin qui s'apprêtait à conduire ses enfants au village. Aussitôt, le ridicule roquet battit en retraite et revint en trottinant vers les enfants, tout en se retournant fréquemment pour aboyer dans la direction de Rodney. Les enfants s'efforcèrent de calmer l'animal en le cajolant.

Rodney s'assit au volant de sa voiture et tourna la clef du démarreur en pestant contre l'affreux quadrupède. Le cœur pompait à plein régime dans sa poitrine. Cette fois, il n'y avait plus remords qui tînt! Rex saurait bientôt de quel bois un Écossais attaqué se chauffait!

Sur la pelouse, non loin de la frontière imaginaire des deux terrains, les enfants avaient commencé à s'amuser avec Rex, qu'ils faisaient courir après une balle. Le retraité passa vigoureusement l'embrayage automatique en marche arrière.

Un rapide coup d'œil au rétroviseur ne lui ayant révélé la présence d'aucun obstacle, il entreprit de faire reculer prestement la voiture. Une clameur d'aboiements furieux à l'arrière, accompagnés d'appels pressants des enfants, le fit sursauter. Rodney n'avait pas aperçu l'animal qui revenait vers la voiture. Surpris, il écrasa violemment la pédale de l'accélérateur à la place de celle du frein... et se fit heurter avec vigueur par le camion à ordures qui arrivait sur ces entrefaites. Sous le pneu arrière gauche gisait le corps écrabouillé de Rex.

✳   ✳   ✳

Deux jours plus tard, Lucette apprit que la petite famille avait décidé d'aller passer le reste des vacances dans un camping de Cacouna.

Mais Rodney n'y trouva aucun soulagement. L'épisode l'avait tellement torturé qu'il ne trouva pas l'inspiration essentielle à un aménagement révolutionnaire pour ses poinsetties. Le jury ne lui accorda que le troisième prix, le «Père Noël de bronze», dont il possédait déjà deux exemplaires pour des arrangements de guirlandes et de lumières, lors de concours antérieurs.

Le reportage que la télévision anglophone réalisa acheva de le décourager: il ridiculisait malicieusement l'événement, associé à la «spécificité culturelle» québécoise. Pour un fédéraliste enragé comme Rodney, l'allusion était dure à prendre.

Un cardigan mauve sur les épaules, bien installée dans une chaise berçante chromée, Lucette retrouva la parole pour susurrer, avec une compassion feinte qui fleurait l'ironie:

– Pauvre Rodney, toi qui t'étais si bien préparé!

Le rescapé de l'accident alla se servir un plat de croustilles au vinaigre et s'assit devant le téléviseur en maugréant contre les dépenses qu'entraînait la réparation de sa voiture.

Il avait du mal à trouver quelque intérêt à la cassette *A Christmas Carol* que le magnétoscope faisait jouer. Dehors, la pluie crépitait sur les feuilles des arbres. Décidément, la messe de minuit de ce soir allait manquer de charme.

Des battements de cœur de dinosaure en rut le firent sursauter. Par la fenêtre de la porte, il vit arriver un «Jimmy» monté sur quatre pneus surdimensionnés que son conducteur entreprit de ranger dans l'emplacement laissé vacant par la famille de Rex. Un rap infernal perça les tympans de ce pauvre Rodney.

Une fois le camion garé, deux couples bien en chair, bouteille de bière à la main, arborant d'impressionnants tatouages sur les bras, des anneaux et amulettes dans les oreilles et le nez en sortirent. La cacophonie que répandait leur chaîne stéréo les obligea à hurler pour s'entendre, tandis qu'ils entreprenaient maladroitement de monter une tente.

Les derniers lambeaux de confiance dans la nature humaine, qui survivaient encore dans la conscience de Rodney, fondirent instantanément.

Sa décision fut prise en un temps record! L'année prochaine, ils passeraient leurs vacances à Saint-Hubert, là où personne n'a le cœur de célébrer Noël un autre jour que le 25 décembre!

Le secret de Céline

« S i tu me fais ça, Éric... Si tu me fais ça...» La voix étranglée de Céline cingle la mémoire du chauffeur du minibus.

Les essuie-glaces répètent la phrase en beurrant le pare-brise avec la bruine gorgée de calcium projetée par les pneus des voitures. Le clignotant la scande chaque fois que le véhicule tourne à une intersection.

Un soir de 24 décembre, qui aurait pu être un soir magique et qui n'a plus l'air que d'un dimanche d'automne triste.

– Si tu me fais ça, Éric, ajoute le vent qui siffle dans la porte pliante. Si tu me fais ça, Éric, couine-t-il dans l'une des glaces arrière de droite.

Éric vérifie pour la centième fois l'état de ses passagers dans le rétroviseur. Mariette, une jeune femme tout engoncée dans son fauteuil roulant, lui sourit faiblement, incapable de contenir les gestes désordonnés que lui impose sa paralysie cérébrale. Luc a le regard brillant d'expectative, en dépit de la minerve métallique qui lui maintient le cou droit mais qui l'empêche de parler franc, résultat d'un accident de trimoto, le jour de ses 10 ans. Anita, la mongolienne, véritable boule de suif à 16 ans, lui réserve un sourire attendrissant et bave avec délectation, sûre de son charme. Tous trois entourent Alcide, 38 ans, le plus abandonné du centre de réhabilitation, couché sur le ventre sur une civière et emmitouflé dans un amas de couvertures que dissimule en partie la vareuse qu'Éric a déposée sur lui. On ne distingue que son visage blanchâtre dans la pénombre du minibus.

Le chauffeur risque un bref coup d'œil par-dessus son épaule droite. Céline aurait dû être assise derrière lui, sur le strapontin qui permet à une infirmière d'accompagner un malade, au besoin. Éric pousse un long soupir. Son silence déteint sur les passagers gênés qui ne soufflent mot.

Le minibus avance en ronronnant tout en douceur. Le spectacle des arbres illuminés sur les parterres des maisons de cette banlieue clairsemée serait presque beau si le chauffeur ne devait pas composer avec un sentiment de culpabilité qui a réveillé une vieille crampe de stress familière, entre les deux omoplates.

Feu rouge. La pause suffit à raviver le souvenir du visage en colère de Céline, tel qu'il était une heure plus tôt.

– Si tu me fais ça, Éric...

Et pourtant, lorsqu'on a du cœur, on comprend. Congé ou pas. Mais elle répétait, butée:

– C'est pas juste...

Non, ce n'est pas juste. Non, le gros Lapointe n'aurait pas dû prendre un coup. Mais va-t-on mettre un gros soûlot au volant d'un minibus de handicapés la veille de Noël?

– Hey, chauffeur, es-tu collé là?

La voix essoufflée d'Alcide trahit l'inconfort de sa position. Éric revient à la réalité. Le feu est passé au vert. Le minibus repart, se moquant de la gadoue de neige sale malaxée par les automobiles, à l'heure de pointe, depuis longtemps garées dans des milliers d'allées de bungalows. Un coup d'œil dans le grand rétroviseur au-dessus de sa tête: il distingue à peine maintenant les quatre visages. Il se concentre de nouveau sur sa conduite.

– Tête de cochon, pense-t-il. Comment se fait-il que je sois en amour avec un bébé gâté pareil?

Éric prend le temps de se reprojeter la scène dans sa tête. Céline, entre lui et la porte de l'appartement, le visage en feu, les yeux humides.

– Pourquoi tu refuses pas parfois de faire du temps supplémentaire? La veille de Noël en plus? Je l'sais que c'est des handicapés. Je l'sais qu'ils ont le droit de fêter Noël aussi. Mais moi, j'ai dépensé la moitié de ma paye, la moitié de ma paye, entends-tu? pour avoir ces billets-là. On aurait pu réveillonner en paix tous les deux, dans un beau restaurant, en buvant du vrai vin, dans des vraies coupes...

– Céline, laisse-moi passer. J'fais ma «ronne» et je reviens. C'est Albert qui ira les chercher. On aura encore le temps d'y aller à ton réveillon...

– Ça commence à sept heures. Tu seras pas revenu avant huit heures. On n'arrivera pas là avant neuf heures. Tu veux tout de même pas te présenter dans un restaurant chic habillé comme ça?

– Qu'est-ce qu'y a mon uniforme?

– Il est parfait dans ton maudit minibus. Pas dans un restaurant français comme «Chez Réjean»!

– Pousse pas, Céline. J'te dis qu'on va y aller à ton réveillon...

– C't'un réveillon ga... *gastromonique*, t'apprendras. Deux heures plus tard que prévu, on n'aura rien que des restes pis du réchauffé.

C'était trop pour Céline. Elle l'a laissé dans le vestibule, sans l'embrasser, et s'est jetée sur le futon de la chambre à coucher. Éric est allé la retrouver, la gorge nouée.

– Écoute ma chouette... J'ai une idée. Si tu venais avec moi... J'apporterais mon habit neuf pour me changer... On gagnerait pas loin d'une heure... On laisse le minibus au centre pour Albert, le chauffeur de nuit qui va les chercher. Il habite à deux pas du centre d'accueil des jeunes fugueuses. On saute dans un taxi et on est de retour presque à temps pour ton réveillon. Qu'est-ce que t'en penses?

Céline a reniflé un bon coup et s'est mouchée bruyamment dans un paquet de papiers-mouchoirs chiffonnés. Elle a eu comme un frisson qui lui a soulevé les épaules, puis elle a fait «non» de la tête et s'est remise à pleurer.

Éric a frappé du poing sur la porte de la chambre avant de lui lancer à la tête le petit paquet bien emballé dans un magnifique papier doré que la vendeuse avait si bien préparé... Il ne sera même pas là lorsqu'elle l'ouvrira et apercevra la bague de fiançailles dont elle rêve depuis des années.

Il a claqué la porte sans entendre Céline crier son nom...

À travers le pare-brise, où le désembueur poussé au maximum laisse quand même des traces tenaces d'humidité, Éric prend conscience d'une agitation inattendue devant lui. Les gyrophares de deux voitures de police sèment des éclairs bleus et rouges. Une masse sombre barre le chemin désert.

Le minibus s'immobilise prudemment. Un policier, la main à sa casquette pour l'empêcher de s'envoler, s'approche de la portière, qu'Éric entrouvre.

– Tu peux pas continuer. C'est un camion-citerne de produits chimiques dangereux qui a versé sur le côté. Le chauffeur s'était endormi...

– J'ai quatre handicapés lourds derrière; je dois aller les conduire à une fête.

– Ça passe pas, j'te dis.

– Écoutez... Tout est prévu. C'est à la maison d'accueil des adolescentes. À sept kilomètres tout droit. Elles sont 48 à les attendre. Elles ont préparé un souper de Noël.

En un éclair, Éric pense au réveillon avec Céline, devenu encore plus problématique à cause de cet imprévu.

Le policier hausse les épaules, l'air de dire: «Je comprends, mais je n'y peux rien.» Pourtant, au moment de lui faire signe de partir, il finit par ajouter:

– Retourne sur tes pas. À peu près 100 mètres. Tu vas voir une petite rue à gauche. Elle coupe à travers le parc industriel avant de rejoindre la voie de service de l'autoroute. En dix minutes tu te retrouves près de la rue de ton centre d'accueil. Ma fille... J'ai déjà rendu visite à quelqu'un, là.

Le passage d'un camion du service des incendies, faisant jaillir des gerbes de neige mouillée, met un terme à la conversation des deux hommes. Éric voit un préposé, le corps protégé par un habit en caout-chouc jaune luisant, qui en sort en vitesse et qui commence à distribuer des masques aux policiers.

Éric passe en marche arrière, vérifie si la voie est libre et entreprend de virer le plus adroitement possible. L'opération est périlleuse: la voie est étroite et il s'agit de ne pas trop s'enfoncer dans les bancs de neige laissés par la charrue. Dans ces coins perdus de banlieue, on nettoie avec les gros moyens. Ça y est, il repart en sens inverse.

Dans les rétroviseurs, les gyrophares ne sont plus que des loupiotes.

– La 'ue! La 'ue!

C'est le jeune Luc qui a crié.

– La vois moi-tou, dit Anita, maladroitement coiffée et maquillée pour aller faire la fête.

Sans un mot Éric ralentit, met le clignotant à gauche et entreprend de tourner dans la rue. Il ne connaît pas les environs et, un bref instant, le doute le saisit. Il aurait fallu prévenir le préposé en devoir au centre. Mais le policier ne lui en a pas donné le choix: la possibilité que ses passagers et lui soient affectés par des vapeurs nocives commandait d'obéir à l'ordre de s'éloigner au plus tôt.

Le minibus dérape un peu en tournant. L'amoncellement de neige est abondant sur ces voies secondaires. Aucune possibilité d'accélération cette fois: la neige épaisse comme de la cassonade fait patiner les pneus. Tant pis, le trajet se fera plus lentement.

N'était-ce de quelques rares grosses lampes au mercure au-dessus de certains entrepôts, les lieux seraient dans la pénombre complète. Le minibus progresse au ralenti. La neige dissimule parfois des flaques importantes et il faut manœuvrer avec adresse pour éviter que les roues ne se bloquent dans l'obstacle.

Chez les passagers, le silence est total.

Le minibus avance dans le désert blanc comme un chat de gouttière aux aguets, incertain de la direction qu'il doit prendre. Seul se fait entendre le ronflement de la chaufferette.

Le policier a parlé d'un trajet de dix minutes. Éric jette un coup d'œil à sa montre. 17 h 55. Il jurerait qu'il y a déjà plus de dix minutes qu'il a emprunté cette rue désolée...

– Arrête-toi! Tu t'es trompé de chemin.

Cette fois, c'est la voix d'Alcide qui retentit avec force.

– Comment tu sais ça, que je me suis trompé?

– Mais vas-tu t'arrêter?

Éric freine par petits coups pour prévenir un dérapage.

– Il y avait une affiche à droite pour indiquer la sortie vers la voie de service.

– Pas sérieux? J'ai rien vu...

Éric sent monter l'impatience de l'autre. Lorsque Alcide s'impatiente, son visage boudeur perd un peu de sa blancheur. Il n'est plus qu'une annonce de mauvais temps.

Le chauffeur regarde ses passagers. Ils offrent tous le même regard timide des enfants qui espèrent que le temps passera plus vite s'ils gardent le silence.

Éric fait difficilement son virage en U et repart en sens inverse. Alcide n'avait pas tort. À 100 mètres à peine, un panneau vert et blanc indique la jonction avec la voie de service qu'il aurait dû emprunter.

– T'avais raison, mon grand... T'as de bons yeux.

– C'est parce que j'ai pas grand-chose d'autre à faire que d'observer.

En tentant une légère accélération, le conducteur comprend trop tard qu'il a gaffé. Le minibus commence à zigzaguer et s'enfonce dans un banc de neige. Le moteur cale.

– Maudite marde! J'avais ben besoin de ça!

Le jeune homme est consterné. Il tente de faire redémarrer le moteur. Deux fois, trois fois. Toujours le même bruit de crécelle, sans résultat.

– Arrête de t'obstiner! Tu vas le noyer définitivement, lui lance Alcide. Attends cinq minutes. Tu recommenceras.

– Qu'est-ce que tu connais aux moteurs, toi?

– J'étais chauffeur d'autobus scolaire. C'est comme ça que j'ai eu mon accident. Mon autobus a été frappé à l'avant par un ti-cul qui a brûlé un feu rouge.

Éric a honte de sa brusquerie à l'endroit d'Alcide; il avait toujours cru qu'il était malade de naissance. À vrai dire, Éric ne s'était jamais préoccupé de lui demander pour quelle raison il était cloué à une civière.

Le silence est à peine entrecoupé par les respirations des passagers. Chacun réalise qu'il faudra du temps pour qu'on les sorte de cet endroit isolé si Éric ne sait pas faire redémarrer le moteur. Alcide parle enfin, d'une voix assurée.

– Sans t'énerver, tourne la clé et appuie un peu sur l'accélérateur, pas beaucoup, doucement, et attends la première explosion.

Tendu, Éric obéit à l'ordre. Le moteur tourne, tourne. Et soudain, le premier «poufff», aussitôt suivi de deux autres, puis le démarrage, hésitant d'abord, et finalement complet.

Les trois autres handicapés s'agitent, rigolent. La joie renaît.

Éric se tourne vers Alcide qui le fixe presque impassible. Mais la fierté de son regard dément son calme apparent.

– Merci Alcide. J'te revaudrai ça. J'savais pas... pour ton accident.

– Tu me l'as jamais demandé, non plus.

Éric ne rétorque pas. Il mesure tout à coup que sa compassion à l'égard de ses passagers n'a jamais été jusqu'à les interroger sur leur passé. Avec d'infinies précautions, il entreprend de faire marche arrière. Il lui faut quatre tentatives prudentes pour dégager le véhicule du banc de neige. Il sent une chaleur soudaine à la poitrine en reprenant enfin la route.

Maintenant, il a hâte d'arriver. Ça sent trop fort le parfum bon marché d'Anita et l'urine d'Alcide, qui s'accumule dans un pot suspendu, relié à sa vessie par un long tube en plastique.

Le minibus atteint enfin une voie plus dégagée. Les hauts lampadaires de l'autoroute élèvent une barrière de lueurs bleues, tout près, à l'horizon. Les phares font déjà ressortir la pente conduisant au viaduc qui surplombe l'autoroute.

Éric se surprend à pousser un très long soupir. La voie de service est à quelques tours de roue; la silhouette de l'institution sera visible sur la droite. Tout ne va pas si mal; il sera sur le chemin du retour d'ici une demi-heure. Céline et lui arriveront avec quelques minutes de retard au restaurant. Le moment de l'apéritif sera probablement passé. Mais, tant pis. Ils auront droit à un véritable souper.

Pas à des restes. Du moins, si elle veut encore y aller...

Une grosse bâtisse grise, éclairée de l'extérieur par des projecteurs au mercure, se découpe à une centaine de mètres.

Tout en engageant le minibus dans l'allée en demi-cercle qui mène jusqu'à un portail fortement éclairé, Éric jette un regard interrogateur vers ses passagers, qui tendent le cou pour reluquer le grand sapin illuminé, agité par le vent.

– Vous me promettez d'être fins, vous autres, mes torviss!

Alcide crie presque:

– Dépêche-toi! Regarde, il y a quelqu'un qui t'attend!

Le minibus se gare en douceur près de la rampe installée par-dessus les marches de l'escalier. Céline frappe ses bottes l'une contre l'autre, frissonnante dans son manteau trop mince.

Éric est sorti du minibus qu'il contourne. Plutôt que de succomber à l'envie qui le submerge de la serrer dans ses bras, il s'arrête et la regarde.

– Tu te demandes ce que je fais ici?

– Ben... un peu oui.

– Je t'expliquerai. Qu'est-ce qu'on fait maintenant?

– Aide-moi à les sortir.

– Je sais pas comment.

– C'est facile. Je baisse la passerelle et on les pousse dessus jusqu'à l'intérieur.

Mariette, Luc et Anita sont excités et poussent des petits rires qui ressemblent à des grognements. Les yeux d'Alcide vont du centre à Céline.

Éric a fait glisser la portière. Il actionne maintenant le mécanisme qui permet à la passerelle de jaillir du plancher et de se mettre en position. Céline passe la tête à l'intérieur.

– Belle...

Elle n'a pas remarqué qu'Anita est venue se placer près d'elle. La jeune mongolienne flatte, avec une retenue impossible à imaginer sous ses gros doigts boudinés, la coiffure que Jean-Loup a créée pour Céline l'après-midi même au chic «Salon Gilles et Jean-Guy».

La voix d'Anita l'a fait sursauter. Elle a un mouvement de recul lorsqu'elle distingue la main qui approche de ses cheveux. Anita s'immobilise. Son regard devient d'une tristesse infinie.

Céline esquisse une petite moue qui pourrait bien passer pour de l'acceptation. Peut-être l'amorce d'un sourire.

La main revient frôler les ondulations à peine esquissées. Le parfum d'Anita est insupportable.

– Belle... répète la mongolienne, admirative.

Dans son fauteuil roulant, Mariette glousse et s'agite de façon désordonnée, le visage ravagé par les grimaces qu'elle veut faire passer pour des sourires.

– Bel', bel', profère difficilement Luc, la tête dodelinant dans son carcan vissé.

Alcide ne dit rien; il sourit. Et la petite étincelle qui allume ses yeux témoigne du désir qu'il refoule, qu'il ne se permet jamais d'avoir devant une belle femme.

Les yeux de Céline lui piquent. Elle fouille machinalement dans son sac à la recherche d'un papier-mouchoir et monte à bord du minibus.

Une grande femme dans la quarantaine, un chandail déposé sur les épaules et qu'elle tient croisé sur la poitrine, se profile derrière la porte vitrée de l'institution. Elle s'approche rapidement, le visage ému.

– Nous étions inquiets. Les filles ont tellement hâte. Elles ont préparé une belle fête dans la salle à manger.

– Ça sera pas long.

Éric empoigne l'extrémité de la civière où les pieds d'Alcide grelottent et commence à la déplacer. Anita veut aider, mais elle gêne la manœuvre.

– Nita, va te placer à côté de Mariette, OK? Tu pousseras le fauteuil roulant quand je te le dirai. Toi Céline, prends l'autre bout de la civière et tire doucement vers toi. On va la faire pivoter.

Céline hésite, les yeux fixés sur la directrice qui n'a pas remarqué sa présence dans le véhicule.

– Aide-moi, Céline, batêche.

La jeune femme se résigne à obtempérer. La civière commence à descendre la passerelle. Alcide la regarde et lui sourit tristement. Déjà, Anita s'agite gauchement dans son dos en voulant pousser trop vite le fauteuil roulant de Mariette.

La civière atterrit sur l'asphalte mouillé. Éric la tire en marchant à reculons et Céline la maintient dans le droit chemin en poussant.

– Céline?

La dame regarde intensément une Céline au sourire timide.

– Bonsoir Mme Landry...

– C'est bien toi? Mon doux, ça fait... ça fait...

– Dix ans, Mme Landry.

Éric hésite un moment. Il regarde les deux femmes, puis se ressaisit.

– Excusez-moi de vous interrompre, mais Alcide ne peut pas rester au froid pendant longtemps.

– Mon doux, vous avez raison. Attendez que j'aille ouvrir la porte.

Et Mme Landry de se précipiter pour ouvrir la lourde porte en verre. Éric jette un bref regard interrogateur à Céline, qui baisse les yeux, puis ils se remettent tous deux à pousser la civière d'Alcide, Anita et Mariette sur les talons, excitées et hilares à la perspective de la fête.

Une fois Alcide dans le hall, Éric se hâte de sortir pour aller récupérer Luc qu'on entend crier:

– Moi! Moi!

Des adolescentes jaillissent d'un long corridor et courent vers le petit groupe qu'elles entourent en piaillant.

Mme Landry a un geste pour leur demander de se calmer, mais elle se résigne et se retourne plutôt vers Céline.

– Tu n'es jamais revenue nous voir, ma grande.

– Non. Quand je suis sortie d'ici, je me suis dit que je ne remettrais plus jamais les pieds dans une prison.

– Céline, voyons! Un centre d'accueil n'est pas une prison. On ne t'a pas mal traitée, tout de même?

– Non, c'est vrai. Au contraire, je me suis sentie presque bien les dernières semaines. Presque aimée.

– Et ton bébé?

– Mes parents n'ont pas voulu que je le garde. J'avais rien que 15 ans. C'était un garçon. Il lui manquait un bras, vous vous rappelez? Il a été adopté. Je l'ai jamais r'vu.

Céline a la tête à demi tournée vers la porte où Éric va revenir avec Luc, d'un instant à l'autre. Elle dissimule mal son malaise. Pourtant, elle a l'habitude d'en voir de toutes les couleurs à la réception de Walter, Walter, Walter et Tétreault où elle travaille comme téléphoniste, secrétaire, réceptionniste et porteuse de café… Mais elle n'a jamais pu se faire à la présence des handicapés. Elle a même toujours refusé d'accompagner son conjoint à quelque fête que ce soit au centre de réhabilitation.

L'arrivée d'Éric poussant le fauteuil de Luc met un terme à la conversation des deux femmes.

Céline se met à regarder ce qui l'entoure, le regard vague, comme quelqu'un qui cherche à s'orienter. Des jeunes pensionnaires ont commencé à pousser la civière d'Alcide et le fauteuil de Mariette vers la salle de réception, d'où émane le commentaire tonitruant d'une partie de hockey à la télévision. Anita court en tous sens, folle de joie, poussant de petits cris.

Éric laisse une grande adolescente haïtienne s'emparer des poignées du fauteuil de Luc pour le pousser allégrement, à son grand plaisir.

En quelques secondes, toute cette jeunesse bruyante a disparu et on n'entend plus que des cris et des exclamations.

Éric ne sait plus quelle attitude adopter. Il regarde Céline qui s'est approchée d'un mur où sont suspendus des dessins encadrés. Mme Landry vient doucement la rejoindre.

– Tu dessines encore?

– Non. Je n'ai jamais redessiné. Ça aurait trop fait plaisir à mon père.

– Tu les revois?

– Jamais. J'ai quitté la maison le jour de mes 18 ans et je ne suis jamais retournée les voir. J'ai chassé maman de mon appartement, une fois. Elle pleurait et suppliait. Je lui ai dit de ne jamais revenir. Puis j'ai déménagé sans laisser d'adresse et je n'ai plus eu de leurs nouvelles.

Éric s'est approché, interloqué. La découverte du passé de sa blonde l'émeut.

Mme Landry guide la jeune femme près du mur et lui montre un dessin.

– Nous l'avons gardé en souvenir de toi.

– Je pensais avoir tout détruit cette nuit-là.

– Tu avais oublié que tu m'avais donné celui-ci, quelques jours avant.

Céline regarde longuement le dessin..

– C'est vrai que je dessinais bien...

– Tu avais un véritable talent...

– C'est fini ce temps-là.

Brusquement, Céline se retourne vers Éric.

– Viens Éric. On est déjà en retard.

Le jeune homme hésite.

– Je vais me changer...

– Flâne pas. Je vais conduire.

La jeune femme se dirige à pas lents vers la sortie. S'arrête. Dans la salle de réception, la voix du commentateur de hockey a cédé la place à *«Jingle Bell Rock»*. Le rire strident d'Anita le couvre parfois.

Céline revient vers la directrice du centre. Elle n'a plus son regard dur d'auparavant.

– Merci. Je sais que vous avez tout tenté pour convaincre mes parents. Après l'accouchement, j'étais tellement en colère que je ne voulais plus rien savoir de personne. J'ai souvent pensé à vous écrire pour vous remercier. Puis j'ai fini par me dire que ça n'avait plus d'importance, que je devais l'oublier comme tout le reste, comme tous ceux qui m'entourent. Mais, je voudrais tout de même que vous sachiez que je m'en suis sortie grâce à vous.

Elle tend la main à Mme Landry. La directrice s'approche et l'embrasse. Céline se raidit, puis se laisse aller. L'étreinte ne dure guère. Elle sent qu'elle va pleurer et s'y refuse. Elle s'écarte.

– Pourquoi ne restez-vous pas? Les filles seraient contentes d'avoir de la visite, un soir comme celui-ci.

– On doit y aller. On est en retard.

– Céline, il faut apprendre à pardonner...

– Peut-être... Mais pour l'instant, j'ai bien des explications à donner à Éric. Voyez-vous, j'ai toujours eu honte de ce passé. Les drogues... La rue... Je n'ai jamais voulu d'autre enfant et je passe mon temps à me comporter comme un bébé gâté. Il est temps qu'Éric comprenne pourquoi. Nous avons pas mal de choses à nous dire pendant le réveillon qui nous attend. J'ai hâte.

Éric arrive en courant, tentant maladroitement de nouer sa cravate, son uniforme de chauffeur en paquet sous le bras.

– Joyeux Noël, madame Landry, lancent Éric et Céline en chœur,

– Joyeux Noël, les amoureux.

Le couple sort. Éric, toujours empêtré dans sa manœuvre, suit Céline qui le conduit vers sa voiture. Au moment de monter à bord, elle interrompt son geste, revient sur ses pas et se jette au cou de son conjoint, toujours aussi empêtré. Puis elle le débar-rasse de son fardeau, lui ouvre la porte et, dans une mimique irrésistible de valet de pied, l'invite à s'asseoir. Éric obéit et, au moment de parler, il reçoit son paquet de vêtements à la tête.

Céline referme la portière de l'auto et se retourne en direction de la directrice. Le sourire qui illumine son visage en dit long. Elle fait un signe de la main et se hâte de prendre place à son tour derrière le volant.

La directrice regarde la petite voiture japonaise s'éloigner. Une fois les cataphotes rouges évanouis derrière le banc de neige, elle secoue la mélancolie qui l'envahit et se dirige vers la salle où la fête bat son plein...

En face du magasin

Certaines veilles de Noël, même les artifices les plus efficaces sont impuissants à contrer la mélancolie qui assaille les esseulés. Les souvenirs les plus amers surnagent dans chaque gorgée d'alcool, à la manière de ces grosses corneilles grasses qui retournent inlassablement se percher, après une courte envolée, au-dessus du cadavre d'un animal malchanceux.

Diane Lupien broyait du noir dans son «un et demi» du centre-ville, incertaine de pouvoir absorber les 28 verres de vin qu'elle s'était promis de boire. Un par année d'existence… pour oublier que Jonathan, sa perle de quatre ans, réveillonnait chez ses grands-parents, avec son ex.

– Garde partagée, mon cul!

Elle avait crié à tue-tête. Le poing du voisin martela la mince cloison que la fumée des cigarettes du locataire précédent avait jaunie. Elle l'entendit vaguement. La voix de Pavarotti inondait déjà l'appartement des accents émouvants de *Jesu Bambino*. Une autre gorgée d'un excellent Médoc, acheté à prix fort à *La Maison des Vins,* sur les conseils de son patron, lui accorda quelques secondes d'oubli chaleureux. Même les chuintements du disque de vinyle, déniché dans une boutique d'occasion de l'avenue du Mont-Royal, s'amenuisaient sur son vieux tourne-disque d'adolescente...

✳ ✳ ✳

À quelques centaines de mètres de là, sous la pluie qui continuait de laver depuis une semaine toute trace de neige à Montréal, la rue Sainte-Catherine se vidait de ses derniers fêtards. Les prostituées les plus courageuses, après avoir tenté une dernière fois de «faire du pouce» à quelques automobilistes pressés, hélaient le premier taxi en maraude et allaient tenter le diable ailleurs, plus au sec.

Trois ou quatre *punks* au sexe indéfinissable furent expulsés bruyamment d'une gargote de *fast food*; leurs insultes avinées laissèrent le patron de marbre. Les néons s'éteignirent. Même les cuisiniers grecs ont le droit de refuser de servir des frites graisseuses et des pizzas trop épaisses, la nuit de Noël.

Il était bien 23 h 30. Les enseignes lumineuses battaient de l'aile. La plainte des pneus des automobiles, de plus en plus rares sur la chaussée détrempée, masquait parfois la rumeur de la ville. Sainte nuit, triste nuit.

Le premier ange fit une timide apparition sur le trottoir en face du magasin *Ogilvy*, à peu près à cet instant. Nanouk, tout droit issu du film de Flaherty, dans son costume typique, promena un regard triste sur ce paysage désolant.

À la brigade de la «Swat Angel», nouvellement formée au paradis par un vieil acteur américain qui avait beaucoup joué de rôles dans des films muets des *Keystone Kops*, on lui avait confié la tâche de gérer les Noëls blancs. Généralement, il s'en acquittait convenablement, bien que les nombreuses appellations de la neige, dans sa langue maternelle, lui causassent des problèmes pour interpréter les *desiderata* de saint Pierre, pour qui de la neige était de la neige – un point c'est tout!

Après dix ans à la tête de l'opération «White Christmas», l'Inuit avait reçu tant de demandes contradictoires qu'il avait fini par faire une gigantesque erreur climatique: il se désolait en regardant la pluie tomber, redoutant plus que tout l'effet de cafard chez les nostalgiques. Il méditait sur un moyen de conjurer le sort, de transformer toute cette eau en cristaux, scrutant de ses petits yeux charbonneux la neige artificielle gauchement saupoudrée autour des cassettes de jeux vidéo violents, dans la vitrine d'un marchand pakistanais.

Un à un, les anges commencèrent à se regrouper devant les vitrines, essayant de comprendre la signification des étalages de sous-vêtements érotiques décorés de feuilles de houx, de disques compacts de rock, de gadgets électroniques importés de Taïwan ou d'articles de sport.

Le temps exécrable avait convaincu plusieurs réguliers de se déclarer grippés: la forte tempête de vent solaire avait froissé beaucoup d'ailes d'anges frileux. De sorte que la plupart des visiteurs célestes sur la Catherine étaient des apprentis que saint Thomas, celui que les nouveaux anges désignaient du surnom de Nez fourré partout, avait choisis à la dernière minute.

– Tu es qui, toi?

– J'étais Harry Langdon. Tu sais, la vedette du cinéma muet? Et toi?

– Un confrère, mon pote. J'étais figurant dans le film d'Abel Gance, *Napoléon.*

– Moi, j'étais Louise Brooks. Je suis restée comme dans le film *Une fille dans chaque port.*

– Moi, j'étais Greta Garbo…

Le nom fit son effet. Les anges se turent pour admirer le pur visage de celle qui incarna la reine Christine.

Et chacun de se présenter en sourdine: Mae West dans sa robe aguichante de *Klondyke Annie;* Arletty en interprète des *Visiteurs du soir*; Rudy Valentino en cheik; Orson Welles en *Citizen Kane*; Gloria Swanson dans *Boulevard du Crépuscule*; Charlie Chaplin dans *La ruée vers l'or*; Stan Laurel et Oliver Hardy dans leurs costumes typiques qui avaient fait rire tant d'enfants; Jean Gabin qui blaguait avec Humphrey Bogart... Saint Thomas n'avait pas eu le choix; à la dernière minute, il avait dû se résoudre à composer avec les anges-acteurs qu'il abhorrait, tant la nuit de Noël était une nuit occupée.

Lorsque les présentations furent achevées, monta une petite voix limpide venant d'un jeune ange que personne n'avait remarqué.

– Moi, je suis Gérard Barbeau, le chanteur à la voix d'or.

– Qui? firent les autres en chœur…

– J'étais la vedette du film *Le rossignol et les cloches*. Vous vous rappelez? Juliette Béliveau jouait le rôle de ma grand-mère...

– Tu es bien jeune pour faire partie de la «Swat Angel», grogna Gabin. Encore une bourde de saint Thomas.

– Au contraire! Je suis avec vous parce que je connais bien les gens d'ici et que le «sauvetage» doit avoir lieu dans cette vitrine, de l'autre côté de la rue.

Les anges hochèrent la tête, sceptiques. A-t-on idée d'envoyer des enfants faire le travail des adultes? Ce pauvre saint Thomas allait se faire enguirlander, le lendemain de Noël. Parce que le 25, les anges observent la trêve de Dieu et ne se disent pas leurs quatre vérités.

Mais pour l'instant, l'ange Gérard se sentait bien mal à l'aise au sein de ce petit groupe hétéroclite; seule la pulpeuse Mae West, en se déhanchant comme à son habitude, lui souriait, heureuse de rencontrer un confrère.

La «Swat Angel» est une brigade qui a pour fonction de mystifier une personne qui a perdu l'esprit de

113

Noël. Sa mission, chaque 24 décembre, consiste à se glisser, mine de rien, parmi les personnages d'une crèche ou les décors d'une fête de famille, afin de tromper la vigilance des désespérés et de semer le doute dans leur tête, au moment où ils songent à commettre l'irréparable.

Ces anges doivent affronter de grandes difficultés, dont la moindre n'est pas de parvenir à leurs fins avant la fin de la messe de minuit à l'église la plus proche. Cette fois-ci, les anges avaient reçu pour mission de se mêler aux personnages du traditionnel village mécanisé du magasin *Ogilvy*, à quelques rues à peine de l'appartement de Diane. Il fallait faire vite, la jeune femme allait arriver...

※　※　※

Sur la platine du vieux tourne-disque, l'aiguille était restée accrochée à un passage plus abîmé de *Mille Cherubini*, et ce pauvre Pavarotti ne parvenait pas à libérer sa voix de ce traquenard.

Diane avait cessé de se préoccuper des hoquets du chanteur. Son huitième verre de Médoc la plongeait dans une béatitude houleuse, dont elle commençait à se méfier. Elle tirait inlassablement sur une boucle de ses cheveux noirs entre le pouce et l'index, en contemplant une photo de Jonathan dans les bras de son père. Elle l'avait posée contre la bouteille de vin, au milieu de la minuscule table pliante qui supportait les restes d'un dîner de poulet barbecue, commandé deux heures plus tôt.

Les coups de poing répétés et maintenant violents du voisin, autant que ses cris de colère, finirent par la tirer de sa morosité. Elle se leva difficilement et caracola jusqu'au tourne-disque. La voix de Pavarotti mourut tristement, dans une bruyante éraflure des sillons.

Elle restait debout, hébétée, privée de larmes, engluée dans sa torpeur éthylique. L'appartement, surchauffé par les soins d'un thermostat déréglé sans espoir de rémission, la rendait nauséeuse. La chaleur, que vomissait la plinthe électrique, faisait danser les glaçons en aluminium du petit arbre de plastique blanc, qu'un jeu de lumières roses faisait paraître presque beau.

Sous l'arbre, cinq cadeaux enveloppés, tous au nom de Jonathan, attendaient sa visite, le jour de l'An.

– Le jour de l'An, c'est pas pareil. C'est pas une vraie fête comme Noël.

Diane se parlait à mi-voix, répétant sans s'en rendre compte les mêmes phrases depuis le début de la soirée.

– Pourquoi c'est pas moi qui ai pigé la nuit de Noël, hein? Pourquoi j'ai eu pile et lui face? Maudite face à claques à Jean-Guy! Maudit mari plate! Maudite belle-mère qui l'a gâté, qui l'a pourri! Pis qui va pourrir mon Jonathan lui aussi, avec ses maudits complexes de femme soumise qui est toujours restée à la maison...

Obsédée par cette idée fixe, elle balbutiait, s'embrouillait dans ses mots. Il lui était de plus en plus difficile de formuler des phrases. Son cerveau ne lui apportait les mots qu'au ralenti. Comme dans un embouteillage sur le pont Jacques-Cartier, quand les automobiles avancent de quelques centimètres avant de s'immobiliser, et de recommencer durant de longues minutes...

L'image du pont s'imposa en elle, lui rappelant que Jonathan était sans doute en train de réveillonner à Longueuil, dans l'affreux salon du bungalow de ses grands-parents, dont le mobilier avait été recouvert de plastique épais pour empêcher le vieillissement du tissu «rose-nanane-sucé-longtemps».

– Pauvre p'tit chou. Pauvre Ti-pit à sa maman. Pauvre ti-n'enfant qui va se rendre malade à manger d'la maudite tourtière pas mangeable de sa grand-mère qui a jamais appris à cuisiner...

Diane délirait. Le souvenir de son fils provoquait des impressions qui n'avaient rien de réaliste. Elle l'imaginait en pleurs, implorant son aide pour qu'elle lui épargne le supplice de la tourtière immangeable, la suppliant de venir le sauver.

Sa résolution fut prise. Luttant pour ne pas s'affaler de tout son long, elle parvint au téléphone mural dans la cuisinette et forma, du mieux qu'elle put, le numéro de téléphone des parents de Jean-Guy.

Huit coups retentirent dans l'écouteur, avant que la voix endormie de son ex ne se fît entendre dans un râle.

– Eulo...

– Jean-Guy, passe-moi Jonathan, tout de suite!

– Diane? Es-tu folle? Jonathan dort. Comme tout le monde.

– Comment ça, i dort? I dort la nuit de Noël? La nuit magique? On l'a toujours réveillé pour ouvrir ses cadeaux!

– Diane, c'est fini ce temps-là. Jonathan va ouvrir ses cadeaux demain matin. Ça fait que, fiche-nous la paix et va dormir toi aussi. T'as l'air d'en avoir ben besoin.

– Maudit sans-cœur! Tu laisses notre fils manquer le plus beau de Noël. C'est la nuitte que ça se passe, Noël, Jean-Guy Abastado. Pas le matin! Va le chercher, je veux y parler.

– Diane, tu trouves pas que t'as assez niaisé? Sacre-nous patience pis va cuver ton vin!

Le bourdonnement dans son oreille était sans équivoque: Jean-Guy avait raccroché.

Cinq ou six tentatives de rappel, effectuées tant bien que mal, eurent le même résultat: son ex avait laissé le combiné décroché afin de prévenir toute récidive.

– Ben m'a y montrer, moi, à enlever mon fils! M'a y montrer à ruiner sa «nuitte» de Noël!

Diane n'avait plus qu'un but. Il lui restait cependant assez de lucidité pour comprendre qu'elle n'arriverait pas à utiliser sa voiture, qu'elle n'était d'ailleurs pas sûre de retrouver dans une rue voisine où elle l'avait garée. Tant pis, elle prendrait un taxi.

Elle alla d'abord longuement uriner, tanguant sur le siège de la cuvette, mais jouissant de l'effet libérateur. Elle tira la chasse d'eau et, honteuse à l'image de son visage dans la glace au-dessus du lavabo, elle s'aspergea d'eau froide à pleines mains, laissant de grandes taches humides sur le chemisier en soie verte qu'elle s'était offert en guise d'étrennes.

Elle se contenta d'un léger manteau, eut le réflexe de prendre son sac à main qui contenait la clé de l'appartement, déjà sur le seuil, au moment où la porte allait se fermer, et partit à l'aventure dans le couloir, au bout duquel le vestibule éclairé au néon lui faisait l'effet de l'étoile des Mages.

L'humidité crue de l'extérieur la fit frissonner. Elle pressa son pas chancelant, essuyant des pans de son manteau la carrosserie blanche de calcium des véhicules garés près du trottoir. Elle crut discerner l'appel des cloches de la cathédrale; un instant, son cœur se gonfla. Elle avait jadis entendu sa mère lui raconter comment la messe de minuit pouvait être magique, durant son enfance à elle, au début des années 40. Diane regretta de ne plus avoir de parents chez qui se réfugier et se payer une bonne «braille».

La rue Sainte-Catherine l'accueillit avec ses rares voitures et ses passants pressés à la recherche d'un taxi, inquiets de rater le réveillon chez des amis tout aussi solitaires qu'eux.

Les taxis que Diane repérait affichaient immanquablement une enseigne éteinte. Des plus heureux qu'elle en bénéficiaient.

Diane eut un bref accès de lucidité, sous l'effet de l'humidité tenace qui grimpait entre ses vêtements trop légers et son manteau de drap. Fallait-il vraiment qu'elle se rende sur la Rive-Sud? Jonathan avait-il vraiment besoin d'elle? Elle en doutait, maintenant. Pis: elle subissait l'effet dévastateur de son geste ridicule qui lui apparaissait dans toute sa laideur.

Comme une reine mage, elle marchait vers l'est de Montréal, figurante inutile dans un décor sans grâce, préoccupée maintenant de l'image de promeneuse hagarde que lui renvoyaient les vitrines, l'une après l'autre. Le chagrin la submergea.

– Maudite vie de cave... J'en peux plus, moi.

❄ ❄ ❄

Arletty encourageait le pauvre Nanouk à inventer une nouvelle façon de faire tomber de la neige, lorsqu'elle aperçut Diane à moins de 200 mètres.

Sitôt prévenus au moyen de son cri codé («Atmosphère!», «Atmosphère!»), tous les anges présents s'envolèrent en un clin d'œil et allèrent se réincarner dans les gnomes et les animaux du décor mécanisé du grand magasin.

Si Diane avait dirigé son regard dans cette direction au même instant, elle aurait eu la grâce de capter, bien que subrepticement, la surprenante envolée. Il était minuit juste, l'instant même où les anges deviennent visibles – l'espace d'une seconde et deux tiers – à un désespéré, la nuit de Noël. Mais elle s'était attardée devant la vitrine d'un dépanneur, jonglant avec l'idée d'entrer y acheter un café.

Son indécision lui joua un mauvais tour: le caissier tamoul harassé vint fermer la porte à clé et tourna une pancarte affichant les mots «Closed / Farméez», en lui baragouinant des paroles incompréhensibles derrière la vitre épaisse.

Diane eut l'impression d'être à elle seule toute une Sainte Famille qui ne trouve pas de gîte dans les auberges de Bethléem. Elle haussa les épaules, convaincue qu'elle ne comptait vraiment pas et que la meilleure solution consistait peut-être à se laisser glisser dans l'eau du fleuve. À cette heure-ci, le métro fonctionnait: elle pouvait encore se rendre à l'île sainte-Hélène.

Les brumes de l'alcool enrobèrent cette décision d'une beauté émouvante. Elle trouva presque agréable le rap d'un Jingle Bells affreusement déformé qui émanait de la chaîne stéréo hyperpuissante d'une minoune survoltée, bourrée de jeunes Noirs hilares, en route pour un party.

La décision d'emprunter le métro la revigora. Délestée de l'aberrant projet d'aller délivrer Jonathan des griffes de sa belle-mère et de ses tourtières, Diane ne s'inquiéta plus trop de sa démarche hésitante, qui continuait de lui jouer des mauvais tours. Les lumières de la Catherine luisaient avec une netteté presque joyeuse et c'est avec la nonchalance des ivrognes, en passe de succomber à la paix intérieure, qu'elle envisagea désormais de se noyer dans le Saint-Laurent.

Mais c'était sans compter sur l'attrait du village mécanisé de la vitrine d'*Ogilvy*.

Diane faillit ne ralentir que distraitement avant de s'immobiliser, alors qu'elle parvenait presque à l'extrémité de la vitrine. L'agitation brusque des petits personnages, affairés à de multiples tâches autour d'un moulin à eau, l'étonna. Elle revint sur ses pas.

Les mouvements saccadés, éternellement recommencés, toujours similaires et toujours incomplets, créaient une atmosphère de bonhomie. L'activité était si intense et multiple à la fois qu'elle n'en distingua d'abord que des fragments, lentement enregistrés par son cerveau aviné.

Certains personnages, qui n'avaient d'abord pas retenu son attention, semblaient s'éloigner du décor, acquérir plus de souplesse, se livrer à des activités moins restrictives. Leurs traits, la couleur de leur peau, la bizarrerie de leur accoutrement ressortaient progressivement.

Le regard de la jeune femme fut attiré par une dame en costume médiéval, qui venait secourir un menuisier maladroit, sautillant après avoir fait tomber un lourd marteau carré sur un orteil. Un beau vieux, au visage épanoui, allait d'un groupe à l'autre, racontant des blagues comme un titi de Paris. Une blonde grassouillette en robe du soir s'était plantée au milieu d'un groupe d'enfants, qu'elle semblait réjouir en chantant. Un cheik arabe montrait à un gnome interdit comment bêcher la terre. Un petit homme au chapeau melon entraînait des couples dans une danse

énergique, sur la place centrale du village rocambo-
lesque, pendant qu'un Inuit trop chaudement vêtu
s'efforçait d'enseigner la pêche au harpon dans la
mare étale, près du moulin à aube, à un groupe de
jeunes gnomes sceptiques.

Diane sortit insensiblement de sa stupeur pour
s'intéresser à l'étrange spectacle. L'activité du village
chimérique prenait progressivement l'allure d'un film
surréaliste sous des dehors de conte médiéval. Diane
crut discerner un mouvement collectif, rehaussé par
les semblants de conversation que paraissaient tenir
les personnages et l'interruption des activités particu-
lières. Un rassemblement sur la grande place du
village se dessina.

Par la grande porte d'une construction qu'un
concepteur farfelu eût voulu être un hôtel de ville de
style pain d'épice, sortit une véritable apparition:
un jeune adolescent vêtu d'une culotte courte, d'un
mince tricot à rayures horizontales et coiffé d'un
«beany», la coiffure typique des garçons au tournant
des années 50, découpée dans le vieux chapeau de
leur père et festonnée aux ciseaux.

Diane était clouée sur place. Contrairement aux
autres personnages qu'elle observait, la physionomie
du garçon timide était touchante à voir. Il alla jusqu'à
l'extrémité du perron de l'édifice et parut se recueillir,
les mains croisées sur la poitrine, pendant que le
petit peuple des gnomes faisait le cercle au pied des
marches.

Et alors se produisit un événement que Diane aurait désormais bien du mal à s'expliquer pour le restant de ses jours.

Elle entendit clairement Gérard Barbeau (car c'était lui) chanter de sa voix limpide *Le sommeil de l'Enfant Jésus,* pendant qu'une musique orchestrale, jaillie de nulle part, l'accompagnait.

Au fur et à mesure que le jeune chanteur s'exécutait, un intense apaisement envahissait l'âme de la jeune femme. Les vapeurs de l'alcool se dissipaient. Ses sombres pensées la quittaient. Une petite joie toute fragile naissait dans son cœur, tandis qu'elle n'arrivait plus à contenir les larmes qui se formaient sous ses paupières.

Dans le village, les anges observèrent du coin de l'œil le visage de plus en plus radieux de la spectatrice de l'autre côté de la vitrine, et se réjouirent déjà de la réussite de leur entreprise. C'est saint Thomas qui serait surpris: pour des débutants, des gens de cinéma, ils ne s'étaient tout de même pas mal comportés! Et, tout compte fait, ils avaient mésestimé ce petit freluquet de Gérard Barbeau. Le petit avait eu une riche idée de touiller l'émotivité de cette pauvre Diane. Et les anges de se regarder avec des sourires entendus, de hocher la tête en direction du jeune chanteur, l'air de dire:

– Allons! Admettons-le: il a du coffre, le gamin!

Mae West admirait plus que tout autre la qualité du chant de l'adolescent. Elle le couvait d'un regard admiratif, avec l'air de celle qui connaît la chanson.

Gérard Barbeau surprit son regard au moment où il arrivait à la fin de son cantique. Il ne put réprimer un petit sentiment de satisfaction et, pour épater la chanteuse accorte comme pour achever de charmer Diane, dont il distinguait le visage ému, il décida de prolonger indûment une note dans les derniers vers du troisième couplet et mit beaucoup d'ardeur à chanter:

Entre les pastoureaux jolis
Dort, dort, dort le petit Fils

Mais, quoique ineffable, le premier *Dort* fut catastrophique!

En fait, le reste du vers ne fut pas chanté. La vitrine, devant laquelle une Diane subjuguée apprenait à croire aux miracles, vola subitement en éclats sous l'influence de la note aiguë du rossignol à la voix d'or.

Le ululement strident d'une alarme rompit aussitôt le charme. Les anges s'éclipsèrent en moins de temps qu'il n'en faut pour crier *Alléluia!* et Diane se retrouva seule au milieu de mille éclats de verre scintillants. Devant elle, le village avait repris son activité mécanique. Les mouvements des animaux et des gnomes étaient de nouveaux saccadés et elle distingua nettement les attaches qui les articulaient en simulant la vie.

De l'autre côté de la rue Sainte-Catherine, les anges regroupés observaient la scène avec appréhension. Certains grognons faisaient des gros yeux à Gérard Barbeau qui, l'air dépité, se mordait la lèvre inférieure. Seule Mae West affichait un sourire radieux et confiant.

Diane sortit de sa léthargie en entendant la sirène d'une voiture de police dans le lointain. Elle décida de ne pas rester sur place et reprit sa marche en sens inverse, vers son appartement. Une grande sensation de joie l'animait; elle avait définitivement oublié ses projets autodestructeurs. Elle se mit à rire doucement. Un vent plus froid la fit frissonner et, à la lumière criarde de la devanture d'un restaurant, elle distingua les premiers flocons de neige qui dansaient une sarabande autour d'elle.

Chez les anges, la neige aussi soulevait la joie. On entoura un Nanouk hilare qui ne parvenait pas à faire comprendre qu'il avait trouvé l'inspiration dans les milliers d'éclats de verre sur le trottoir d'en face. Il s'approcha de Gérard Barbeau et lui mit la main sur l'épaule, l'air de dire:

– Toi et moi, nous connaissons ça, l'hiver.

L'adolescent fut enfin rassuré.

La voiture de police, gyrophares en folie, freina brusquement devant la vitrine éclatée, alors que Diane tournait au coin de la rue.

Les agents Isabelle Latendresse et Philémon Jean-François en sortirent vivement, la main sur l'étui de leur revolver. Ils s'approchèrent à pas mesurés de l'endroit, inspectant le village mécanique toujours en mouvement. Ils auraient bien aimé découvrir une brique, un gros caillou, une balle de carabine qui auraient suffi à expliquer l'effondrement de la vitrine...

En vain.

Ce n'est qu'après plusieurs minutes d'observation scrupuleuse que la policière Isabelle Latendresse remarqua la présence du minuscule «*beany*» de Gérard Barbeau, sur le perron de l'hôtel de ville.

Elle crut qu'il était tombé de la tête d'un ourson et l'en coiffa, pendant que Philémon Jean-François faisait son rapport à la centrale, assis dans la voiture-patrouille. Le croassement perpétuel de la radio les empêcha d'entendre le frou-frou des ailes des anges qui s'envolaient vers le paradis, non sans passer au-dessus d'un immeuble où ils eurent la satisfaction de voir Diane entrer, cette fois bien en paix avec elle-même.

Graffiti Girl

Le miroir de l'armoire blanche de style Ikea primitif (qu'elle avait assemblée elle-même tant bien que mal en s'écorchant les doigts sur la clé Allan) renvoya à Ariane son visage boudeur, sous la masse de cheveux noirs frisés qu'elle s'acharnait à laisser pousser pour les rendre encore plus rebelles. Elle fit la moue: fallait-il ou non mettre de la couleur verte sur ces boucles? Non. Cela ferait un peu trop «arbre de Noël en plastique», jugea-t-elle.

Elle examina d'un œil critique l'effet du rouge à lèvres écarlate qui lui dessinait une bouche pulpeuse, fraîchement inspirée d'une affiche de Brigitte Bardot aperçue dans une vitrine de l'avenue du Parc. Le mascara donnait à ses yeux des allures de «fille perdue» qu'elle affectionnait. Son visage poudré créait l'illusion d'une pâleur qu'elle croyait séduisante. Elle s'apprêtait à enfiler sa veste en cuir noir, constellée de cabochons luisants, lorsque, dans son baladeur, la voix de Bing Crosby succéda sans prévenir à un rock tonitruant:

– *I'm dreaming of a white Christmas...*
– *Ah fuck!!!*

La porte de sa chambre s'ouvrit en même temps sur sa mère, lumineuse dans sa robe de taffetas doré qui lui donnait une allure de mannequin des petits catalogues qui polluaient la boîte aux lettres. Son arrivée lui fit crier:

– Tu frappes jamais avant d'entrer, m'man?

La gymnastique buccale que faisait sa mère lui fit comprendre que le volume du baladeur était trop élevé. Elle tourna la molette d'un doigt nerveux afin de ramener les susurrements de Bing Crosby à un niveau tolérable.

– J'ai frappé, mademoiselle. Deux fois plutôt qu'une, d'ailleurs. Mais il semble impossible de se faire entendre dans cette pièce.

– Ah, mâ-mannn... Sacre-moi patience avec ton accent de Française de Granby. Qu'est-ce tu veux?

– Ariane, il est bientôt 21 h et tu n'es même pas prête. Dévid (elle prononçait le prénom à l'anglaise) sera bientôt ici pour nous conduire au réveillon. Tu ne peux tout de même pas venir chez les Rosenberg vêtue comme... comme...

– Comme une pute? C'est ça que tu penses?

– Ariane, voyons! Un peu de tenue, tout de même!

– J'te f'rai pas honte, compte sur moi. J'y vas pas chez tes Rosenberg! Non mais, ça s'peut-y? Des juifs qui fêtent Noël as'theure! Pourquoi pas des Arabes qui fêtent la Hanoukka?

– Ariane, tu es méchante. Tu sais très bien que la famille de Dévid veut tout simplement nous témoigner son amitié.

– Tu fais hippy des années 60 avec tes histoires d'amitié, m'man. C'est comme pas le soir, là. Si papa et toi aviez pas été si morons avec vos théories d'amour universel, il vivrait pas à Sainte-Foy avec sa poupoune pis toi à Outremont.

Héloïse Du Tremblay (de son vrai nom Linda Tremblay) émit un soupir de commisération comme seules savent le faire les dames d'un certain âge des téléromans d'après-midi, sur les chaînes américaines. Elle se permit ce petit hochement de tête caractéristique qu'elle réservait à ses «scènes de troisième acte», lorsqu'elle voulait prendre l'univers à témoin de la tâche harassante d'être la mère d'une adolescente de 15 ans, rébarbative, de surcroît, à la bonne éducation de l'école privée où elle la maintenait aux frais de son père et au prix de rencontres bimensuelles avec les religieuses pour les supplier de ne pas la renvoyer.

– Ariane, ma chérie, tu me peines beaucoup en cette veille de Noël. Tu oublies bien vite ce que ta mère fait pour toi.

– Tout ce que j'veux, c'est que tu en fasses moins, m'man. Me semble que c'est clair ça? Ta magie de Noël, ça prendrait un miracle pour m'y faire croire. Noël, ça veut rien dire pour moi. Je veux la paix-E!

– Je ne peux tout de même pas te laisser seule un soir semblable... Et les parents de Dévid qui se faisaient une joie de t'accueillir. Eux qui te considèrent presque comme leur petite-fille...

– Charrie pas, là. Le vieux me suit partout pour me tâter les fesses, pis la vieille me parle rien qu'en anglais pour me faire chier. Ça fait que ton petit club de l'âge d'or privé, tu peux le fréquenter toute seule. Moi, la seule grand-mère que je veux voir, c'est la mienne. Mais comme elle préfère passer Noël en Floride... De toutes façons, les vieux schnoques, j'ai ai ras la casquette! Correct, là?

Un nouvel alizé s'échappa de la poitrine de sa mère, mise en valeur par un décolleté savamment osé qui lui vaudrait sûrement beaucoup de succès auprès du père Rosenberg. Elle eut un sursaut d'autorité maternelle, comme si elle faisait un ultime effort pour se convaincre que ce rôle de mère, qu'elle avait été obligée d'accepter, ne signifiait pas sa déchéance mais qu'il révélait son immense talent de comédienne.

– Ariane, cela suffit. Tu vas me faire le plaisir de t'habiller convenablement et de m'accompagner à ce réveillon. Je suis ta mère, après tout, et je n'accepterai point que tu m'humilies devant la famille de Dévid.

– S'ils veulent me voir la face, ben il va falloir qu'ils me voient telle que chus. C'est comme ça que j'm'habille. Pis de toutes façons, tu perds ton temps, Linda. J'y vas pas. C'est réglé.

Agacée par le sirop crosbyen qui dégoulinait dans ses oreilles, Ariane arracha les écouteurs et lança son baladeur sur le lit en déroute, où gisait un père Noël en peluche au sourire ironique sur les draps imprimés de Blanche Neige que sa mère s'obstinait à lui imposer.

Soucieuse de n'en rien laisser paraître, Héloïse dissimula son contentement dans un dernier effort pour obtenir son assentiment et se rassurer sur son amour maternel, au moment même où le carillon de l'appartement grésilla avec insolence sous l'index impératif de Dévid.

– Je préfère que tu m'appelles Héloïse, tu le sais. C'est ton dernier mot? Que va dire ton père?

– Papa? Tu penses que papa s'intéresse à moi? Il a 40 ans, il baise sa blonde de 23 ans pis tu penses qu'i s'pose des questions sur nous autres? Mâ-mann! Franchement!

– Ariane, pas ce soir, je t'en prie! Ne me fais pas plus de mal!

Le grésillement persistant de la sonnette témoignait de l'impatience de Dévid. Héloïse ouvrit la bouche et la referma avec une grimace. Elle eut un vague geste en direction de sa fille, comme si elle avait voulu l'embrasser sur le front, puis elle se résigna et sortit de la chambre en refermant la porte avec la lenteur étudiée qui convenait dans ces circonstances.

Ariane se jeta à plat ventre sur son lit, agacée par cette victoire aussi rapide. Des écouteurs montait maintenant un incroyable mélange disco d'airs de Noël. Elle entendit les échanges entre Dévid et Héloïse qui commentaient sa décision de ne pas les accompagner.

– Si c'était ma fille...

Mais le reste de l'opinion de Dévid se perdit dans les explications à voix basse de sa mère.

Par-dessus le froissement de vêtements et les bruits de pas, Héloïse lança très fort:

– Joyeux Noël, Ariane. Ne fais pas de bêtises. Tu peux te faire réchauffer le magret de canard sur la deuxième tablette du frigo. Je te donnerai tes étrennes demain matin. D'accord?

Un bref silence, puis la voix de sa mère ajouta:

– Bonne nuit.

De nouveaux bourdonnements de voix furent suivis du claquement sec de la porte de l'appartement.

Elle était enfin seule. Et un peu triste. Comme si cette brève escarmouche avait eu le goût de la défaite. Un moment, elle regretta que la querelle n'eût pas permis à Héloïse de s'imposer, de tempêter, d'obtenir d'elle, par la force s'il le fallait, sa présence à la minable petite réception des Rosenberg à Westmount. Elle y serait allée à reculons et aurait embêté tout le monde avec ses bouderies, mais elle ne se serait pas retrouvée aussi abandonnée que maintenant.

Le silence ironique du grand appartement lui pesa. On a beau être une rebelle de 15 ans, on ne dédaigne pas que quelqu'un nous aime au point de nous en faire baver, surtout la veille de Noël.

Ariane échappa à la lourde solitude de sa chambre envahie de toutous et alla s'écraser devant le téléviseur stéréo obèse, la télécommande bien en main. Chaîne après chaîne, la magie de Noël s'étalait dans

132

les annonces tonitruantes des vendeurs de guenilles ou d'automobiles.

Elle cloua le bec au téléviseur, ramassa le téléphone sans fil et se dirigea d'un pas traînant vers la cuisine, tout en formant un numéro.

Devant la porte grande ouverte du réfrigérateur, elle chercha en vain du regard la pointe de pizza qu'elle était sûre d'avoir logée, trois jours plus tôt, entre deux des multiples contenants en plastique bien alignés.

La voix enregistrée d'un répondeur lui fit vite comprendre qu'elle se heurtait à la conspiration des familles la veille de Noël. Pas de place ou pas de temps pour les petites filles pas sages, réfractaires à l'idée d'accompagner leur maman chez les Rosenberg, qui oublient un soir qu'ils sont de confession juive afin de les recevoir au réveillon.

La tarte italienne avait perdu la guerre contre la volaille française de sa mère. Héloïse avait sûrement confié sa pointe de pizza aux *pepperoni* et anchois aux bons soins du broyeur d'aliments.

Elle claqua la porte du réfrigérateur. Le compresseur se remit ironiquement à ronronner au même moment. Le téléphone collé à l'oreille, elle traîna rageusement ses pieds sur le tapis du corridor en faisant éclater de temps à autre de petits éclairs bleus sur ses ongles en frôlant le mur. Dans sa chambre, un ahurissant chuintement rythmé pétaradait toujours dans les écouteurs de son baladeur.

Aucun de ses appels ne porta ses fruits. Lulu partait chez sa grand-mère; Pierre-Yves était en vacances

133

au Portugal avec son père, selon la bonne philippine; Nathalie aidait sa mère à préparer le réveillon; Maryse était partie au cinéma, affirmait sa mère; Jean-Sébastien était malade d'avoir trop pris de bière avec sa bande durant l'après-midi... Après une dizaine de tentatives, dont la moitié s'était soldée par des communications frustrantes avec des messages enregistrés, Ariane put enfin parler à la grosse Jessica... – pas sa meilleure copine, mais tout de même un faire-valoir acceptable quand les larmes gonflent les paupières.

– Qu'est-ce tu fais? demanda Ariane.

– Pas grand-chose. J'ai loué des cassettes de films. Je capote sur les muscles de Schwarzenegger.

– Hon, t'es folle. La veille de Noël, tu r'gardes des films de débiles?

– Pis toi? Tu dois être toute seule en titi pour m'appeler?

La répartie de Jessica la secoua. Pour un peu, elle aurait avoué qu'elle s'ennuyait à mourir. Elle se ressaisit à temps.

– Hey Jessy, ça t'tente-tu de sortir?

– Quoi faire?

– Ben j'sais pas. On pourrait marcher dans les rues, aller manger un hamburger pis des frites au McDo... N'importe quoi!

– Hey, t'es capotée toi, Ariane-Coccinelle Du Tremblay-Bourassa. Sortir la veille de Noël pour niaiser dans la rue quand il pleut.

– Appelle-moi pas de même! Tu l'sais que j'haïs ça. C'est pas de ma faute si mes vieux fumaient du pot de mauvaise qualité pis qu'y s'imaginaient qu'y pouvaient donner n'importe quelle cochonnerie de prénom à leurs enfants.

– OK, OK. Grimpe pas dans les rideaux. Écoute. Moi, j'sors pas. Mais si tu veux v'nir triper sur le gros Arnold en rêvant à ce qu'y cache dans son caleçon, tu peux venir.

– Pis tes parents?

– Mes parents? Phuittt! Ils sont partis réveillonner chez le boss de ma mère. Là où les enfants sont jamais invités. Ça fait que... viens-tu?

– Ah, j'sais pas.

– Tu l'sais pas? Tu m'appelles, pis tu l'sais pas? Ben mange d'la colle d'abord, Ariane-Coccinelle! Pis dérange pas le monde quand tu sais pas ce que tu veux!

Le bourdonnement irritant du combiné lui révéla que l'autre avait raccroché. Décidément, Ariane n'avait pas la manière pour se faire inviter. Un instant, elle pensa rappeler et dire à Jessica qu'elle acceptait son invitation... Mais elle renonça aussitôt et cria à voix haute en raccrochant à son tour:

– *Fuck you* Jessica Laverdière-Gignac! Si tu penses que j'ai besoin de toi!

Cette fois, l'agression de la pseudo-musique que chuchotaient les écouteurs dans son cou l'irrita et elle voulut vite jeter le baladeur contre le mur, en plein sur l'affiche de John Lennon que son père lui avait laissée, quand il avait quitté sa mère. Mais elle se retint juste à temps et tourna plutôt la molette.

Le téléphone sans fil toujours à la main, elle revint dans le salon où les loupiotes roses décorant le sapin en plastique blanc venaient de s'allumer. D'heure en heure, différentes lampes s'allumeraient et s'éteindraient dans l'appartement, donnant ainsi l'illusion à d'éventuels voleurs que quelqu'un se baladait de pièce en pièce

– Des lumières rose nanane dans un arbre en plastique! Non mais ça prend-tu une quétaine! M'a t'en faire moi du rose nanane!

Ariane laissa tomber le téléphone sur le sofa en cuir et courut jusqu'au cagibi près de la cuisine, où sa mère rangeait bien en ordre les outils, les bouteilles de nettoyeurs, les guenilles pour la femme de ménage haïtienne. Elle trouva rapidement la bombe aérosol de peinture fluo qu'Héloïse avait achetée pour peindre l'extrémité des balises qui protégeraient le gazon des assauts des préposés au déneigement.

Elle revint en trombe dans le salon, disposée à régler le sort du sapin. Mais quelque chose arrêta son geste. Peut-être le souvenir du regard ému de sa mère, lorsqu'elle l'avait surprise en train de décorer le minable arbre en plastique, le dimanche précédent. Elle ragea d'avoir une boule dans la gorge, dut renifler et lança un *Fuck!* sonore pour ne pas pleurer.

Par la baie vitrée du salon, elle voyait le reflet des décorations de la maison voisine se réfléchir sur la surface mouillée de la rue. Elle jeta la bombe aérosol dans son sac à dos vert pomme, passa sa veste en cuir et sortit vite de l'appartement.

La pluie avait cessé. Ariane frissonna d'amertume devant le spectacle désolant des monceaux de neige ravagés par les assauts du calcium et offrant des chicots noirâtres en une supplique ridicule.

L'adolescente pressa le pas en direction de la rue Bernard. L'heure tardive et l'approche du réveillon avaient vidé la plupart des rues adjacentes. Quelques voitures filaient, nerveuses, comme des spectateurs en retard qui se hâtent de gagner leur siège quelques secondes avant le début de la représentation.

Les fenêtres des appartements laissaient parfois entrevoir des ombres qui entreprenaient de déballer des cadeaux.

À l'intérieur de la bombe aérosol, la bille scandait avec un tintement faux chaque pas de l'adolescente, qui affrontait maintenant les timides efforts d'un léger vent assez frisquet pour évoquer l'hiver.

La rue Bernard offrit une perspective désolante à Ariane, qui avait espéré se livrer à son passe-temps favori des grands moments de déprime: barbouiller de graffitis scandaleux la neige accumulée sur les pelouses, à la faveur de la nuit. L'éclairage de la rue et les ampoules colorées des arbres ne faisaient qu'aviver cet irréel automne aux allures d'hiver. Seul persistait un amoncellement solitaire de neige grisâtre devant une conciergerie, dernier vestige d'un gardien zélé qui avait nettoyé son perron dans l'espoir d'un pourboire donné par ses locataires pour Noël…

Ariane traîna consciencieusement ses *Doc Martens* jusqu'à proximité du survivant glacé de l'unique chute de neige. Autant dans l'espoir inavoué de se faire remarquer que pour déjouer les regards indiscrets des promeneurs, elle scruta rapidement les alentours. Seule une petite vieille arpentait à pas lents et incertains le trottoir d'en face, sans lui prêter attention.

Ariane extirpa la bombe aérosol et la décapuchonna. Le «ploc» sonore lui parut résonner jusqu'à trois rues plus loin. Elle s'accroupit tout près du tas de neige pour s'assurer que le jet serait uniforme et écrivit rapidement *Fuck* Noël!

Elle prit à peine le temps d'admirer sa création, reboucha la bombe et partit rapidement dans la direction opposée. De rapides coups d'œil derrière elle confirmèrent que personne ne l'avait surprise à jouer les dissidentes.

Son manège lui permit d'apercevoir, de l'autre côté de la rue, à la porte de la banque dont le tambour abritait les guichets automatiques, la vieille femme de tout à l'heure, en conversation animée avec un jeune homme dans la vingtaine, la main gauche ostensiblement dissimulée dans la poche d'un blouson qui avait connu de meilleurs jours.

Ariane s'arrêta net. Elle n'entendait pas la conversation, mais les sons qui lui parvenaient ne lui parurent guère amicaux. À un moment donné, le jeune homme saisit brusquement l'épaule de la vieille dame et la poussa sans ménagement contre la porte de la banque, en gonflant la poche de son blouson d'un geste menaçant.

Sa victime leva un peu le bras, dans un geste timide de protection puis, d'un air résigné, ouvrit lentement son sac à main. Ariane suivait la scène, incertaine de l'issue de cette confrontation. La main de la
dame fourragea un peu dans le sac, fit apparaître une
pointe de mouchoir blanc puis sortit une carte qu'elle
tendit à son agresseur.

Ariane comprit. Elle hurla à pleins poumons:

– Hey toi là, le *bum*! Qu'est-ce tu fais? Lâche-la!

L'agresseur et sa victime se retournèrent au
moment où ils atteignaient la porte de la banque. Ariane prit à peine le temps de vérifier si une voiture arrivait et traversa la rue d'un pas assuré, en hurlant:

– T'as pas honte, estie d'chien sale?

L'étrange duo la regarda venir. On n'aurait su dire
qui de la victime ou de l'agresseur fut le plus surpris.

Ariane se planta à un mètre à peine des deux per-
sonnes. La colère la faisait bouillir. L'adolescente
n'était sûrement pas un modèle de vertu et en faisait
voir de toutes les couleurs à sa mère; elle envoyait
promener ses profs chaque jour et avait même de dou-
teuses habitudes de loisir, quand ses moyens lui
permettaient d'arpenter les halls d'entrée des paradis
artificiels. Mais de voir une vieille dame brutalisée
provoqua en elle une poussée de répugnance telle
qu'elle ne mesura guère le danger qui la guettait.

Le voleur eut vite fait de comprendre qu'elle ne
représentait pas une menace sérieuse à son activité. Il
abandonna la vieille dame à elle-même et fit un pas en
direction d'Ariane qui comprit alors que le truand

était manifestement d'un gabarit beaucoup plus imposant qu'elle ne l'avait soupçonné.

– Pis toé la *punk*? De quoi tu t'mêles? Dégosse ou ben j'te fais des trous!

Sa bobine mal rasée en disait long sur l'état de manque dans lequel il se trouvait. Le doigt menaçant qu'il pointait vers Ariane tremblait et ses yeux trop brillants lui composaient un visage désespéré. Un instant, comme dans les films sur cassettes avec lesquels elle tuait le temps lorsque sa mère sortait avec Dévid, elle espéra que la vieille saisirait l'occasion de s'éclipser. Mais la dame restait bêtement sur place, sa carte de guichet automatique à la main, comme si elle attendait la fin de l'altercation pour inviter le voleur à la suivre à l'intérieur de la banque.

L'homme saisit le regard d'Ariane, se retourna vers la vieille, recula d'un pas, hésitant.

À une cinquantaine de mètres de là sortirent d'un restaurant deux couples qui congratulaient le patron sur l'excellence du menu. Le voleur les remarqua aussi. Dans quelques secondes, la partie serait jouée et il aurait perdu. Il fallait chasser Ariane au plus vite. L'attitude tétanisée de la vieille dame l'enhardit à se rapprocher d'Ariane comme quelqu'un qui aurait décidé d'en finir.

– Toé ma p'tite crosseuse, j'vas t'en sacrer une!

Ariane réagit avec une vigueur qui la surprit elle-même. Elle dirigea immédiatement la bombe aérosol qu'elle tenait toujours et aspergea copieusement son agresseur au visage...

Le hurlement qu'il poussa n'eut rien d'un cantique de Noël.

– Mes yeux, câlice! Mes yeux…

Ariane entendit une voix crier en provenance du quatuor de clients:

– Qu'est-ce qui se passe là?

Elle ne prit pas la peine de demeurer sur place pour vérifier s'ils venaient à la rescousse. Parmi les cris plaintifs aigus du voleur qui lui promettait toutes sortes de sévices plus raffinés les uns que les autres quand il aurait recouvré la vue, Ariane courut vers la vieille, la prit par la main qui tenait toujours la carte magnétique et l'entraîna aussi vite qu'elle le put.

Leur fuite fut chaotique à cause des tentatives de la dame pour ranger sa carte dans son sac à main; cependant, à la surprise d'Ariane, elle suivit assez bien le mouvement.

Au coin de rue suivant, l'adolescente hésita.

– Où est-ce que tu... que vous demeurez, madame?

Ariane remarqua pour la première fois le visage de celle qu'elle venait de sauver. Un air malicieux la faisait ressembler à un gnome sans ride. Ses cheveux poivre et sel jaillissaient comme des tampons de laine d'acier de son béret rouge surranné. Elle tenait toujours fermement serré sur sa poitrine son sac à main vert pâle, qui jurait avec son manteau jaune moutarde.

– J'habite près d'ici. Un deuxième, rue Van Horne.

– Venez. Je vais vous reconduire.

– Ce n'est pas nécessaire, chère. Je suis correcte maintenant. T'es fine comme une mouche.

141

– Écoutez, j'ai rien à faire de toutes façons. Je voudrais être sûre qu'y r'viendra pas vous achaler...

– Après le coup de pinceau que tu lui as passé, ça m'étonnerait…

Une soudaine et brève hilarité interrompit leur marche pendant quelques secondes. Décidément, Ariane s'était trouvé une étrange amie à la place de Jessica pour niaiser dans la rue. Elle reprit le bras de la vieille dame, qui ne lui sembla plus aussi vieille tout à coup et guida sa marche en silence.

N'y tenant plus, elle poussa la question qui la tenaillait.

– C'est drôle à dire, mais... c'était comme si vous aviez l'air d'attendre après lui pour entrer au guichet automatique...

– Tu ne te trompes pas, chère. Je le connais. Enfin pas lui, mais je connais son genre. Une fois à l'intérieur, je l'aurais convaincu de ne pas me voler.

– Charriez pas, là. Moi aussi je connais ce genre de gars-là. Il y en a qui rôdent autour de l'école pour essayer de nous vendre toutes sortes de cochonneries. Ils sont collants pis pas faciles à convaincre de nous ficher la paix.

– Peut-être. Mais moi je connaissais quelque chose de lui et je savais que j'aurais pu en venir à bout.

– L'avez-vous regardé? C'était un taupin. Maigre peut-être, mais encore capable de faire de la misère au monde.

– Mais as-tu vu son regard? reprit seulement la vieille.

Le silence d'Ariane lui permit de poursuivre:

– C'était le regard de quelqu'un qui supplie qu'on l'interrompe avant qu'il ne soit trop tard. C'était le regard de celui qui est seul et à qui il manque juste une petite raison pour croire à nouveau qu'il peut s'en sortir...

Ariane était touchée mais pas convaincue. Ce genre de discours ambigu ne l'atteignait pas. Depuis belle lurette, elle avait décidé que la société était composée à moitié de rapaces et à moitié de victimes et que la seule alternative était d'être soit un rapace, soit une victime rusée, si on voulait s'en sortir. À 15 ans, elle avait choisi de se ranger du côté des victimes rusées qui se débrouillent pour survivre le plus longtemps possible, puisqu'elle ne se sentait aucune disposition pour brimer les autres. Son unique grand désir, celui qui hantait son esprit chaque jour, était qu'on lui fichât la paix…

– Nous approchons de chez moi.

La voix de sa vieille compagne la ramena à la réalité. À quelques pas de la rue Van Horne, déserte et anonyme sous l'éclairage des lampadaires, elles virent une voiture de police, gyrophares en action, tourner brusquement dans leur rue et passer à côté d'elles à toute vitesse.

Elles s'arrêtèrent pour la suivre des yeux dans sa course folle en direction de la banque.

– Au moins, il va coucher à la chaleur, dit cyniquement Ariane.

L'adolescente fut gênée par le regard triste que lui jeta la vieille et chassa son malaise en demandant:

– Est-ce que c'est près d'ici, votre logement?

La vieille parut émerger de la tristesse qui l'avait gagnée.

– Oui. Aide-moi à traverser la rue. On y est presque.

En peu de temps, elles furent devant une vieille porte en bois dont les moulures disparaissaient sous d'innombrables couches de peinture. Le bleu éclatant dont on l'avait enduite témoignait de la nostalgie du propriétaire grec pour son pays. La vieille extirpa une clef de son sac à main et, après quelques tentatives maladroites, parvint à déverrouiller la porte, qui s'ouvrit sur des marches en bois rabotées par d'innombrables chaussures depuis des dizaines d'années.

La dame habitait au-dessus d'une épicerie vietnamienne dont la vitrine offrait des étalages de légumes exotiques défraîchis.

– Tu viens te réchauffer un peu? Boire un chocolat chaud?

– Ah... j'sais pas là...

– Ça me ferait plaisir... À moins que tu sois attendue chez toi?

– Non, j'suis toute seule.

– Une enfant comme toi, seule la nuit de Noël? Voyons, ça n'a pas de bon sens, chère. Viens-t'en. On va se faire un petit réveillon. Moi aussi je suis seule et ça me fait toujours de la peine de passer la nuit de Noël sans personne.

– OK... Seulement quelques minutes, d'abord.

– Tu partiras quand tu voudras.

Au sommet de l'escalier, une porte peinte en vert lime ouvrait sur le vivoir de l'appartement où scintillaient dans le noir une douzaine de minuscules ampoules disposées sur un petit sapin famélique à peine présentable, avec de rares boules et des glaçons d'aluminium.

Ariane défit lentement son cache-nez, les yeux fixés sur le petit arbre qui lui tendait ses branches.

– Il a l'air drôle, votre petit arbre. Comme s'il faisait pitié et qu'il était beau en même temps.

La vieille dame retira son manteau pour l'accrocher dans la garde-robe près de la porte d'entrée, le visage joyeux, éclairé par les ampoules multicolores.

– C'est parce que c'est un rescapé. L'épicier du rez-de-chaussée avait vu grand. L'arbre qu'il avait acheté n'entrait pas dans son salon. Il a coupé la tête et l'a jetée dans la ruelle... Je l'ai ramassée et j'en ai fait mon arbre de Noël.

Ariane laissa son hôtesse prendre son blouson et alla s'asseoir par terre près du petit arbre. Une ébauche de crèche y avait été installée: une Vierge au visage privé de nez, un saint Joseph à qui il manquait une main et dont la canne était un trombone tordu, un Enfant Jésus en cire, aussi gros que ses parents avec un seul bras et couché sur un petit tas de paille jaune foncé, un bœuf écorné dont une patte tenait grâce à un sparadrap, un mouton à peine plus gros qu'un dé à coudre et un âne sans oreilles, couché par terre.

145

Ariane pouffa de rire.

– Votre crèche a l'air pas mal «défuntisée», dit-elle à l'endroit de la dame qui s'affairait dans la cuisinette attenante.

– C'est parce qu'elle n'est plus très jeune. Comme moi. C'est la crèche que j'avais achetée à mon fils quand il avait neuf ans. En 1943. Je l'ai toujours gardée. Même la paille date de cette année-là. Il a longtemps joué avec les personnages, tellement qu'il en a cassé des parties. Mais elle tient toujours le coup, comme tu peux le voir. J'ai beaucoup de plaisir à la sortir de sa boîte chaque hiver.

Le tintement d'une cuiller qu'on tourne lentement dans une casserole emplit doucement l'atmosphère durant quelques minutes, avant qu'Ariane ne relance la conversation.

– Vous avez eu beaucoup d'enfants?

– Non. Juste lui. Mon mari est mort alors qu'il avait à peine un an. Un accident de chasse. Son meilleur ami l'a pris pour un chevreuil.

– Wow. C'est pas drôle comme histoire. Surtout la nuit de Noël.

La vieille dame revint avec un plateau portant deux tasses fumantes et une assiette de biscuits au sucre, garnis de granules verts ou rouges épousant la forme d'un sapin.

– Tu as raison. À Noël, personne ne devrait être triste.

Elle posa le plateau par terre près d'Ariane et, en émettant un petit geignement, elle s'assit à ses côtés.

Le chocolat sentait bon et les biscuits goûtaient la vanille et le beurre.

– Et votre fils? demanda l'adolescente, la bouche pleine.

– Il est en prison!

– Et vous me dites ça de même!

– Il n'y a pas beaucoup de façons de dire ces choses, je pense. En tout cas, moi je n'ai pas beaucoup d'instruction et je ne sais pas comment enrubanner les réponses. Je dis les choses telles qu'elles sont.

– Qu'est-ce qu'il a fait?

– Il a détourné des fonds. Il était... curé d'une paroisse. Un jour, il est tombé amoureux d'une de ses fidèles, la femme du directeur de l'école. Il a voulu s'enfuir avec elle à Vancouver, en espérant partir pour Hawaï. Ils ont été arrêtés à Calgary pendant une escale. Mon fils était un grand naïf: il avait pris soin d'écrire une lettre à son évêque pour lui demander pardon et lui révéler sa destination. Il a été condamné à un an de prison et sa blonde à trois mois, parce qu'elle a juré qu'il l'avait entraînée dans le coup. Il m'a appelée, tout à l'heure; il voulait savoir si j'avais fait la crèche au pied de l'arbre.

Ariane mordit dans un autre biscuit et sirota une gorgée de chocolat, encore trop chaud à son goût.

– Ça me semble bizarre, votre histoire. J'ai de la misère à y croire.

La vieille rigola en douce.

– Et pourtant, c'est la pure vérité. Mon fils est vraiment prêtre et il a vraiment voulu partir et refaire sa vie avec une femme. Et il a eu droit à un appel téléphonique à sa mère, tout à l'heure.

– Ça n'a pas l'air de vous faire de la peine...

– Mais ça ne m'en fait pas non plus. Il a essayé de faire quelque chose et ça n'a pas fonctionné. Probablement qu'il en aura tiré une leçon qui lui sera utile pour le reste de ses jours. Mais je l'admire d'avoir essayé. Il s'est trompé, mais il a tenté d'aller plus loin, de voir s'il n'y avait pas autre chose à faire de sa vie que de lire son bréviaire et d'écouter les vieilles dames à confesse, avant d'aller regarder la partie de hockey du samedi soir à la télévision.

Derrière les vitres embuées retentirent les premiers coups de cloche appelant les fidèles à la messe de minuit.

Ariane avala une gorgée de chocolat chaud.

– Je ne vous ai pas demandé votre nom...

– Je n'aime pas dire mon prénom parce qu'il a l'air un peu ridicule de nos jours... Je m'appelle Sidonie. Sidonie Bouchard.

Ariane ricana innocemment.

– C'est vrai qu'on n'en fait plus beaucoup, des noms pareils, à coucher dehors...

– Mais avoir un nom bizarre te fournit une excuse pour ne pas faire comme tout le monde, chère. Quand j'étais jeune, au Saguenay, plus jeune que toi même, j'étais une vraie tannante. Je m'arrangeais pour ne pas être à la cuisine quand il fallait essuyer la vaisselle et pour être déjà dehors quand c'était le temps de faire le ménage dans ma chambre. Je faisais tomber les chaudrons par terre quand on me demandait d'aider à la préparation des repas et je faisais le désespoir de ma mère en m'habillant comme «la chienne à Jacques». À l'école, je me dépêchais de faire les exercices que demandait la sœur et je lisais des livres de la comtesse de Ségur. Je suppose que ce nom-là ne te dit pas grand-chose?

– La comtesse de quoi?

– Laisse faire. Ce n'est pas important. Mais j'y pense: peut-être aimerais-tu entendre de la musique de Noël?

– Ouache... La musique de Noël, je trouve ça assez épais. Ça dit toujours les mêmes conneries.

– Non, je ne pense pas. Viens, nous allons nous asseoir sur le sofa et je vais ouvrir la radio. Je suis sûre qu'on peut trouver quelque chose que tu vas aimer.

Sidonie eut besoin de l'aide d'Ariane pour se redresser, le visage légèrement crispé par un effort qui exigea beaucoup de ses articulations arthritiques. Une fois sur ses pieds, elle alluma une lampe sur une table; l'éclairage suffit à faire découvrir un vieux sofa en velours bourgogne; dans un coin de la pièce trônait un antique poste de radio en bois verni, comme Ariane en avait vu en photo. Une fois l'interrupteur tourné, une lumière orange prit lentement de l'intensité derrière un cadran ovale où on devinait une aiguille et des chiffres sous un mica que le temps avait rendu opaque.

Sidonie manipula lentement le bouton de sélection:

– C'est un vieil appareil, mais il a aussi les ondes courtes. Durant la guerre, j'écoutais les messages de la BBC avec mon fils, avant d'aller au lit.

Après bien des plaintes et des sifflements, Sidonie capta enfin une station. Les premières mesures de la messe de Noël de Marc-Antoine Charpentier s'élevèrent dans le haut-parleur que masquait une pièce de tissu poussiéreuse, jadis beige.

En toute autre occasion, Ariane aurait haussé les épaules en se couvrant les oreilles avec le casque d'écoute de son baladeur. Cette fois, elle avait plutôt envie d'écouter. Elle vint s'asseoir près de Sidonie qui tira du bout du pied un pouf dont les coutures du recouvrement en plastique vert bâillaient çà et là. Elle y posa les pieds et s'adossa, marquant la mesure en battant de la tête.

– Vous le saviez que ce serait de la musique de même qu'il y aurait à la radio?

– C'est une vieille radio. Parfois, j'ai l'impression qu'elle a gardé le souvenir de toutes sortes de musiques anciennes et qu'elle les sort quand ça lui chante. Elle me connaît et je la connais. Elle me joue toujours le genre de musique que j'aime. Tu vois, la nuit de Noël, pour moi, c'est une nuit magique. Je ne suis plus croyante; j'ai cessé de l'être il y a bien des années. Mais j'ai toujours gardé pour Noël un petit penchant spécial. J'ai toujours cru que si on désirait très fort quelque chose cette nuit-là, le vœu se réaliserait. Enfin, peut-être...

Ariane sentit une espèce de langueur l'envahir, comme si la crispation qui lui faisait mal depuis des

mois dans l'omoplate droite se relâchait progressivement. Elle appuya sa tête sur l'épaule de Sidonie et
contempla le petit sapin illuminé, qui lui paraissait
grandir chaque fois. Sans quitter l'arbre des yeux, elle
demanda:

– Et ça marche?

– Parfois, oui. Aujourd'hui, cela a marché.

– Qu'est-ce que vous aviez souhaité?

– De ne pas passer la nuit de Noël seule. Et tu vois,
mon vœu a été exaucé.

Toutes deux firent silence pour laisser à la musique de Charpentier le temps d'opérer. Ariane n'avait
pas souvenance d'avoir ressenti un tel bien-être
depuis le dernier Noël, avant le divorce de ses
parents...

Elle se revit, enfant, lorsque sa mère et son père la
réveillaient ensemble, en pleine nuit, en chantant *Les
anges dans nos campagnes* à mi-voix, pour la conduire au salon où seul le sapin était allumé au-dessus des
étrennes dissimulées sous des emballages chatoy-
ants... Il y avait eu peu de Noëls du genre, malheureusement, la relation entre ses parents se désagrégeant
au fil des années, jusqu'à ce qu'ils se séparent, une
semaine avant son dixième anniversaire. Depuis, les
Noëls étaient de plus en plus amers et Ariane ne savait
plus comment les éviter.

– *A penny for your thought...* dit doucement
Sidonie.

– Qu'est-ce que ça veut dire?

– C'est une vieille expression anglaise qui veut dire que je te donnerai un sou si tu me dis à quoi tu penses.

– C'est pas grand-chose...

– Probablement que ça valait beaucoup quand on a inventé l'expression.

– Probablement...

Ariane mit quelque temps avant de poursuivre, jouant avec l'idée qui commençait à germer dans son cerveau.

– Comme ça, si on souhaite fort que quelque chose arrive la nuit de Noël, ça se peut que ça arrive?

– Ça se peut... Mais il ne faut pas le dire avant.

– OK.

Et Ariane se mit à rêver à du blanc...

❋　❋　❋

La radio diffusait des cantiques chantés par une chorale d'enfants lorsque Ariane reprit conscience. Sidonie l'avait étendue sur le sofa et s'était retirée dans la cuisine, où elle rangeait la vaisselle qu'elle venait de laver.

– J'ai dormi? lui demanda Ariane à travers la pièce.

– Tu dormais si bien que je n'ai pas voulu te réveiller.

– Quelle heure est-il?

– Tard, je crains. Plus de trois heures.

– Maudit! Il faut que je m'en aille. Ma mère va encore me faire une scène.

– Probablement pas. Elle ne doit pas être rentrée, de toutes façons. Et je crois que tu n'habites pas loin.

Ariane se hâta de passer son blouson en cuir et son foulard.

– Je me sauve. Merci pour tout. C'est drôle, je me sens bien. Je pense que j'aimerais ça, revenir…

Sidonie se contenta de sourire et de lui donner un baiser sur le front.

– On verra si tu en auras encore envie dans quelques jours. Tu seras la bienvenue. Sauve-toi vite.

Ariane dégringola l'escalier en se battant avec son blouson et poussa la porte de l'immeuble vétuste. Elle inspira bruyamment et sourit de bonheur. La neige s'était mise à tomber avec force. Les rafales de vent l'obligèrent à se couvrir avec son foulard. Aucune voiture ne venait profaner le long ruban blanc qu'était devenue la rue.

Elle tournoya quelques fois sur elle-même, toute à sa joie, et sortit la langue pour attraper des flocons. C'est alors qu'elle vit à la fenêtre du deuxième étage la vieille Sidonie qui lui faisait un signe de la main, derrière la glace embuée. Elle lui rendit son salut vivement et s'engagea dans la rue.

À mi-chemin, elle sortit sa bombe aérosol d'une poche de son blouson. Comme un enfant qui s'applique à ne pas colorier au-delà des lignes, elle écrivit en lettres attachées un *Joyeux Noël* qui devait s'étendre sur une bonne dizaine de mètres. Sous la lumière du réverbère, les lettres fluo se détachaient avec force. Elle leva la tête et fit un dernier salut à la vieille femme, qui lui fit comprendre d'un geste de la main qu'elle avait vu le cadeau qu'elle lui faisait.

Pour la première fois depuis qu'elle l'exigeait sur tous les tons, Ariane eut l'impression d'avoir enfin trouvé la paix; se mit à courir le plus vite qu'elle le put vers le grand appartement sombre où personne ne l'attendait.

Une heure plus tard, les lettres du message continuaient de se détacher nettement, comme si la neige ne tombait pas.

Un engin de déneigement qui s'amenait à toute vitesse allait le happer, lorsque le conducteur aperçut les reflets rouges. Il s'arrêta pile, ouvrit la portière et avança une botte sur le marche pied pour bien le lire. Il hocha la tête et, en sifflant entre ses dents *Adeste Fideles,* passa en première.

Mais l'engin refusa obstinément de bouger.

Il eut beau appuyer sur l'accélérateur, le mastodonte demeura immobile; il passa rageusement la marche arrière et le véhicule recula sans difficulté.

Il tenta de nouveau de foncer vers le message. Peine perdue! Il passa au neutre, s'accouda sur le volant et poussa un profond soupir.

Il allait communiquer par radio avec son supérieur quand l'idée lui vint de tenter de nouveau d'avancer, mais en évitant de toucher au message.

Cette fois l'engin lui obéit et roula sans difficulté.

De sa fenêtre Sidonie sourit, qui n'avait rien perdu du manège: Noël serait toujours la fête des enfants.

Un 24 décembre à la Dickens...

1 7 h, la veille de Noël. C'est le moment de cette fatidique journée que craint le plus Gilbert Trudeau. Il est trop tard pour tout. Pour la chasse aux plats préparés et aux fromages fins chez le traiteur, pour quelques bonnes bouteilles à la Maison des Vins, ou pour des cassettes de films suffisamment captivants pour s'assurer de traverser sans trop d'angoisse cette longue nuit. Il est surtout trop tard pour se trouver un ami pour survivre à la solitude.

Il ne manque de rien, se répète-t-il. Il souhaiterait, tout au plus, avoir une raison de s'évader de son chic condo pour aller se détendre dans la rue Laurier, faire comme si des emplettes de dernière heure étaient tout à fait indispensables. Acheter une bricole dans une boutique; inutilement, puisqu'il n'a personne à qui l'offrir. Aller fureter chez les libraires, dénicher un Agatha Christie ou un Patricia Highsmith qu'il n'aurait pas, par miracle, déjà lu. S'attarder aux devantures des boutiques pour contempler les décorations de Noël.

Faire comme si...

Mais Gilbert n'a même plus d'énergie pour sortir. À quoi bon prétendre que c'est parce qu'il est trop tard. La morosité et son «lendemain de veille» lui pèsent lourd. Oh! il comprend à quel point son corps de 48 ans a ses limites! Hier soir, il a voulu montrer aux employés de son agence de publicité «qu'il était encore capable». Capable de boire solidement, de manger toutes sortes de nourritures grasses, tièdes dans leurs réchauds en acier inoxydable, de faire la cour à sa secrétaire effarouchée, un peu triste même, devant ses avances non équivoques, capable de montrer sa résistance aux journées de travail de quinze heures. Capable surtout d'oublier...

C'est le concierge de nuit qui l'a mis dans un taxi, après l'avoir trouvé endormi à 3 h du matin, sur son pupitre, dans l'obscurité de son bureau. Ses employés l'avaient tout simplement oublié. Ou abandonné, se dit-il avec amertume, en se rappelant qu'il a dû retourner au stationnement de la tour du centre-ville, cet après-midi, y récupérer sa Mercedes sport.

Et maintenant, il lui faut contrer la marée de souvenirs amers qui monte dangereusement dans sa conscience, encore chétive dans les derniers lambeaux de brume du «mal de bloc». À travers la baie vitrée qui tient lieu de mur du salon, il observe sans intérêt Montréal illuminée à ses pieds, devinant plus qu'il ne les voit les ponts vers la Rive-Sud, tout scintillants.

La contemplation a fait baisser sa garde et le voilà piégé par le douloureux souvenir. Le cottage chaleureux, le vaste terrain paysagé, la piscine, le corps de Marie... Deux ans déjà qu'un cancer du poumon l'a emportée. Deux ans déjà qu'il rabâche ses opinions furieuses contre la cigarette et contre le refus de sa femme de renoncer à son vice.

Il aimerait se souvenir de son visage sans son masque d'agonie, sur son lit d'hôpital impersonnel. Il aimerait surtout oublier cette dernière phrase, avant le coma:

– Tout de même Gilbert, c'était bon de fumer...

Maudite folle! Deux ans déjà, et la colère sourd encore, toujours neuve, jamais émoussée. Il a eu beau vendre la maison, les meubles, s'installer dans ce condo, aménagé avec un goût luxueux par une décoratrice haut cotée... Rien n'y a fait. Le deuil est bloqué quelque part en lui par la colère et ses efforts pour sombrer dans le travail et les excès.

Gilbert s'arrache difficilement de la morosité envahissante. Les analgésiques ont agi. L'étau de la migraine s'est desserré et les aigreurs d'estomac se sont estompées sous les rasades d'eau minérale et de jus de tomate. Allons! La douche aura raison de la mélancolie qui colle au cœur.

Avant de se livrer aux bienfaits de l'eau, Gilbert met en marche le lecteur-laser. Des Noëls baroques s'élèvent, apaisants. C'est l'avantage de ces condos modernes en béton armé: nul ne peut taper du balai au plafond pour réclamer le silence, dans ces cocons insonorisés. Le bonheur, loin de tout, dans une bulle. Du moins, si l'on peut se supporter...

La douche chaude, puis le gant de crin pour raviver le coup de fouet de la douche froide, le gel moussant ont ragaillardi Gilbert. Il souhaiterait que le corps qu'il essuie à l'aide d'un drap de bain aux couleurs vives soit plus robuste, plus musclé que celui que lui renvoie le miroir de plain-pied.

– Avec le genre de vie que tu mènes, mon gros, tu ne peux pas demander plus.

Comme tous les gens seuls, Gilbert se parle à haute voix. Pas de façon systématique, mais chaque fois qu'il constate, après quelques heures, qu'il s'enroue à ne rien dire.

Il prend le temps de choisir des vêtements confortables, mous, de ceux qui prédisposent à la flânerie. Il se sent presque bien. Il contemple un instant ses cheveux gris mais abondants, son visage encore indemne des plus grosses rides, s'attarde un instant sur le ventre qu'une ceinture résistante réussit encore à contenir dans les limites de l'acceptable.

– Pour de l'usagé, le stock a encore de l'allure.

Il se rend à la cuisine et découvre avec satisfaction qu'il sera bientôt 18 h 30. Il a gagné une première bataille sur la mélancolie.

– Allons, ce ne sera pas si dur, après tout. Le truc est de se gâter.

La demi-bouteille de champagne au frais fera très bien l'affaire. Il s'en verse une coupe, contemple les bulles et dit tout haut avant d'avaler une première gorgée:

– À ton Noël, mon gros.

158

Le beau liquide pétillant est légèrement amer, lendemain de «party» de bureau oblige. Tant pis. Au fond, ce soir, il ne désire pas vraiment se soûler. Seulement s'engourdir pour ne pas penser que c'est le troisième Noël qu'il passera seul.

Trop tard! Un nouveau pincement de mélancolie au cœur... L'image fugace de «l'enfant», trouvé mort à sept mois dans son lit... Vite, vite la briser, l'émietter, la laver à grandes lampées de champagne!

Tout allait si bien. Il s'apprêtait à étonner son palais de ces merveilleux fromages, ces extraordinaires pâtés, ces petits plats en sauce, achetés à des prix d'escroc....

Sa détermination à vaincre Noël, à le reléguer au rang des chimères s'étiole.

Le timbre de la porte l'arrache à son hésitation.

Il n'attend personne. Ne souhaite surtout voir personne. Craint qu'on se souvienne de lui.

Il colle lentement le visage à l'œilleton, ses pas complètement assourdis par l'épais tapis bleu poudre. Dans l'objectif, il découvre le visage de Jeannine Pedneault, la timide divorcée qu'il s'efforce de ne plus croiser dans l'ascenseur. Elle a la quarantaine heureuse et de la culture, ce qui ne gâte rien. Gilbert hésite. Il pourrait s'abstenir d'ouvrir, prétendre qu'il est absent. La porte est si épaisse qu'elle ne permet pas à un visiteur d'entendre du corridor la musique ou les conversations.

Gilbert n'aime pas les gens seuls comme lui. Il a besoin de toute son énergie pour se soutenir en cette soirée difficile. D'ailleurs, saurait-il seulement quoi lui dire? Ils n'ont échangé que des banalités, à de rares occasions, depuis qu'il habite l'immeuble.

Enfin, pas que des banalités, s'avoue-t-il, en s'écartant un peu de la porte. Il l'a invitée à deux reprises à un concert de l'orchestre symphonique. Il avait été agréablement surpris de constater qu'elle n'était pas du genre à s'accrocher à lui pour son argent et il a failli s'intéresser à elle. À la dernière minute, sa misanthropie l'a conduit à brouiller les pistes et à espacer ses appels pour finalement ne plus lui donner signe de vie depuis deux mois.

Et si elle n'avait besoin que d'un petit service? Ouvrir un bocal au couvercle trop serré? Déplacer une table trop lourde? Sans doute attend-elle des amis?

Gilbert se compose un masque impassible et entre-bâille la porte. Jeannine, le visage rosé par l'apéritif, esquisse un sourire avenant:

— Bonsoir, Gilbert. J'ai pensé t'inviter à un petit réveillon. Rien d'accablant. Quatre ou cinq amis, seulement.

L'éclair d'un instant, il pense accepter. Mais il adopte bien vite son attitude d'homme du monde gentiment froid.

— Merci Jeannine. J'ai d'autres projets. Et je suis un peu fatigué. Une autre fois, peut-être.

— Noël ne vient qu'une fois par année, Gilbert. C'est une fête qui peut être triste sans compagnie.

— Seul? Moi? Mais voyons, qu'est-ce qui te fait croire cela?

– Ne me dis pas que tu attends la visite des trois anges de la nuit de Noël, dit-elle avec un petit rire.

Gilbert se raidit. Sa froideur s'intensifie. Jeannine est confuse.

– Pardonne-moi. Je ne voulais pas t'offusquer. C'était une blague...

– Excuse-moi, Jeannine. J'ai à faire.

– Si tu changes d'avis...

– C'est gentil, mais je ne crois pas.

Il ferme la porte sur le visage gêné de la jolie femme et retourne vivement à la cuisine.

– Non mais, tout de même! Les anges de Noël! Elle a l'humour en déroute, la pauvre. Où travaille-t-elle, déjà? Il me semble qu'elle me l'a dit... Ah, oui. Scénariste de séries télévisées. Platitudes. Ces gens-là ne sont même pas foutus de faire des émissions plus intéressantes que mes commerciaux qui les accompagnent.

Son commentaire acerbe ravive son désœuvrement. Est-ce que toute présence aimable ne vaut pas mieux que cette solitude dorée?

– Comme dirait Scrooge, *Bah, Humbug*, ricane-t-il en arrivant dans la cuisine. Il se verse un peu de champagne, en boit une légère gorgée et entreprend d'extirper du frigo ce qui lui semble le plus supportable pour son estomac...

Les étiquettes de chaque pot, de chaque emballage lui rappellent que son agence a atteint une vitesse de croisière intéressante ces dernières années en conquérant le marché des consommateurs fortunés. Il a fallu en tasser des concurrents trop préoccupés par l'éthique, des débutants naïfs frais émoulus de l'université, des rapaces dans son genre qui ne se méfiaient pas assez de lui. Il a fallu aussi se débarrasser des employés contestataires, réduire les salaires trop lourds (sauf le sien, évidemment!), gonfler les tarifs pour faire semblant ensuite de les baisser. Mais il y est parvenu! Bientôt, son agence sera la plus forte et il régnera sur le Montréal de la «pub»!

– Dommage qu'il y ait tant d'imbéciles à écarter, soupire-t-il en s'emparant d'une bouteille d'eau minérale.

La sonnerie du téléphone retentit de façon agressive. Gilbert grimace. Va-t-on enfin le laisser tranquille?

Il laisse le répondeur prendre la relève et, en étalant du saumon fumé de Colombie-Britannique sur du pain grillé, il écoute la voix hésitante de sa secrétaire:

– Bonsoir, monsieur Trudeau. J'espère que vous allez bien. J'ai pensé prendre de vos nouvelles... Euh... si vous avez besoin de quoi que ce soit, appelez-moi. Nous... euh... réveillonnons en famille, mais vous êtes le bienvenu. Mon mari et mes enfants seraient heureux de vous connaître. Joyeux Noël.

Gilbert soupire. Mais qu'est-ce que ces gens craignent tant? Que la solitude le pousse à se jeter par la fenêtre? Si seulement ils savaient à quel point il n'aspire à aucune présence cette nuit! Du moins, essaie-t-il de s'en convaincre...

* * *

Trois disques de musique baroque, un *Time*, une demi-bouteille de St-Émilion 1969 et quelques délicieuses délicatesses plus tard, Gilbert a l'impression d'apprécier encore plus son isolement.

– Le secret, pense-t-il avec la conviction d'un ivrogne professionnel, est de ne pas abuser.

Il verse le fond de la bouteille de vin dans son verre et quitte la table pour gagner «l'espace salon» attenant à «l'espace salle à manger». Que faire? La lecture n'a plus d'attrait. La musique lui semble répétitive. Il est trop tôt pour se mettre au lit avec un somnifère. Reste la télé...

– Merde... Rien d'autre, se dit-il avec agacement.

Télécommande en main, il entreprend de faire la tournée des chaînes.

Quelle désolation! Des chorales d'amateurs, des publicités sur les ventes du *Boxing Day*, des films sentimentaux, des *talk-shows* débiles, des documentaires sur la vie agricole, des comédies aux clichés éculés, des reprises, des reprises, des reprises... La télécommande est pointée en permanence vers l'écran où les images se bousculent avec un petit crépitement à chaque changement de canal.

Soudain, il interrompt le balayage. *It's A Wonderful Life* de Frank Capra débute sur la chaîne éducative américaine. Une tradition. Le désespéré (Jimmy Stewart) et l'ange (Henry Travers) attendent que leurs vêtements sèchent dans la cabane du surveillant du pont, la nuit de Noël.

Gilbert explore une autre chaîne, mais tombe sur une publicité concurrente pour de la pâtée à chiens qui lui soulève le cœur.

– Pauvre idiot! Toujours aussi incapable!

La télécommande repointe. Jimmy et Henry ont entrepris leur retour dans le temps pour vérifier s'il est vrai que la présence d'un homme dans son milieu a quelque valeur ou si elle ne change rien.

Gilbert dépose la télécommande.

– Peuh... Quelques minutes d'un classique... Pourquoi pas?

L'enfance. Le jeune comédien constate que le pharmacien qui l'emploie est obnubilé par l'alcool et la douleur d'avoir perdu son propre fils, victime de l'épidémie d'influenza de 1919. Le garçon n'a pas livré le médicament dangereux que le vieil homme a préparé par inadvertance. Il essaie de s'expliquer, en pleurant, au moment où le pharmacien hystérique va le frapper.

– «*Not in my bum ear! Not in my bum ear!*[1]...» crie le garçon.

L'émotion étreint Gilbert malgré lui. Il a vu ce film dix fois et n'est jamais parvenu à contrôler sa charge émotive. Chaque fois qu'il entend la voix de l'enfant et qu'il voit le pharmacien s'effondrer en larmes, ses

---

1. «Pas sur mon oreille malade!»

yeux se mouillent. Il a honte. Regarder ce film seul lui donne l'impression d'être redevenu un adolescent qui se masturbe en cachette.

Pourtant, il sait déjà qu'il va regarder le film jusqu'au bout, qu'il va pester contre son sentimentalisme, qu'il va s'irriter de certains manques de subtilité... et qu'il va encore une fois en subir le charme.

– Non mais, franchement, comment peut-on être bonasse à ce point-là? Pousser aussi loin l'esprit de sacrifice, c'est admettre qu'on est né pour un petit pain.

Sa mémoire accueille inopinément une image qu'il a de la peine à chasser, celle de son jeune frère, Léon, dont il a forcé la vente de son dépanneur et l'exil au Manitoba avec sa famille, parce qu'il était incapable de lui rembourser un prêt de 10 000 dollars, perdus dans un RÉA d'une petite compagnie qui a fait faillite. Surtout, ne pas s'attendrir.

– Il a couru après... grogne-t-il. Niaiseux!

Gilbert boit une gorgée de son excellent St-Émilion, rectifie sa position dans son fauteuil de cuir, allonge les pieds sur la table à café et s'apprête à ridiculiser, un petit sourire en coin, les délices de la vie d'un village américain de la fin des années 30, selon Frank Capra.

La voix croassante de Jimmy Stewart devient nette. La présence de Donna Reed est presque palpable. Gilbert s'émeut brièvement de cette image de la jeune femme américaine symbolisant la fraîcheur, la maternité, l'appui inconditionnel à son mari. Il est proche de s'attendrir au souvenir de sa mère. Ou de Marie. Brusquement, il contre-attaque en se parlant à voix haute.

– Faut donner ça à Frank Capra, il avait le tour pour jouer sur les bons sentiments. Moi, si j'avais voulu écrire autre chose que de la «pub», je ne pense pas que j'aurais tout arrangé de façon si systématique: une mauvaise passe suivie d'une bonne passe jusqu'à la fin. Je n'aurais certainement pas inventé des personnages si fins, si *nonos*...

L'histoire lui semble avoir un peu dérivé depuis quelques minutes. Il ne parvient pas à reconnaître certaines séquences, des bouts de dialogues. Le rôle du valet du banquier escroc (Lionel Barrymore), qui le pousse partout en fauteuil roulant, n'est plus muet. Ce figurant intervient dans l'action, suggère des manières d'être à son patron, corrige des attitudes, s'engage dans des algarades avec l'ange gardien du pauvre Jimmy Stewart, qui ne sait plus où donner de la tête.

Mais voilà qu'il est en train de discuter avec Mary (Donna Reed) sur la façon de se comporter envers son mari?

– Ma pauvre Mary, comment pouvez-vous être aussi naïve? Vous ne voyez pas que votre mari vous fait des enfants pour mieux vous enchaîner à la maison, pour vous empêcher d'aspirer à votre autonomie en faisant un travail rentable?

– Mais, mais... nous sommes en 1946. Les femmes restent à la maison et secondent leur mari, répond la pauvre comédienne en jetant des regards incrédules en direction de la caméra, comme pour quémander une directive du réalisateur.

Et ce valet, qui a maintenant les traits de Gilbert, plastronnant son cynisme et sa mauvaise foi, va d'un acteur à l'autre et provoque le désarroi dans l'histoire. Même le grincheux Lionel Barrymore, l'archétype du «méchant» des films de l'époque, est désemparé; il a perdu sa faconde et ne sait plus s'il doit interdire à son valet de parler ou le laisser diriger les manœuvres cruelles qu'il avait planifiées.

– C'est ça, un héros? reprend le valet Gilbert, en pointant Jimmy. Avec ses grands principes stupides, il rate l'occasion d'assurer le confort de sa famille en refusant une position à 25 000 $ par an, sans compter les bénéfices marginaux. Plutôt que de flanquer son oncle à la porte, c'est lui qui prend la responsabilité de sa gaffe. Il est prêt à se suicider pour que la prime de sa petite police d'assurance sauve sa famille du déshonneur. Un véritable imbécile!

Dans le film, le chaos règne. Les enfants de Jimmy Stewart se querellent, en attendant de jouer la grande scène de la fin où les amis viennent sauver de leurs deniers le pauvre directeur de la caisse d'économie. La musique joue à contre-temps, les acteurs s'arrachent les copies du scénario pour tenter de reprendre la maîtrise du film en retrouvant leurs dialogues.

– Ça ne tient pas debout, cette histoire de nature humaine bonne et généreuse, clame maintenant Gilbert au-dessus de la mêlée. Dans la vie, c'est chacun pour soi. Au plus fort la poche…

– Le film démontre le contraire! hurle Jimmy Stewart que la colère rend maintenant agressif. À notre époque, les pauvres gars honnêtes comme moi s'épuisaient à joindre les deux bouts, mais ils avaient des amis qui les secouraient en cas de coup dur. Où sont les tiens? J'ai aidé mon frère, tu as ruiné le tien. Tu te crois fort? Tu n'es qu'un jeune vieillard solitaire et sans amour.

Le groupe des acteurs et des figurants entoure de près Gilbert dans le salon de la maison du couple Stewart/ Reed. Leurs regards luisent d'indignation.

– Vous... vous ne me faites pas peur, crie Gilbert, le valet, incertain de l'attitude à prendre.

Il tente d'utiliser Lionel Barrymore comme paravent, mais le vieux sagouin exerce une forte pression sur les roues de son fauteuil roulant et prend la poudre d'escampette. Gilbert se retrouve face à un hémicycle de visages où il ne lit plus maintenant que de la pitié.

– Pensez-vous me convaincre, bande de caves? Vous méritez seulement de vous faire exploiter par des gens comme moi, vous n'êtes que des...

Sa voix lui est brusquement enlevée, comme si un technicien avait coupé le son. Il a beau se masser la gorge de la main, tousser, rien n'y fait. Il est devenu totalement aphone.

À l'instant même, comme si les acteurs n'avaient plus cure de lui, ils redeviennent les personnages du film et se mettent à chanter en chœur, avec solennité:

– *May all acquaintances be forgot'*...

L'émotion tenaille Gilbert, les yeux fixés sur l'arbre de Noël où tremble la petite cloche qui indique que l'ange gardien Clarence a enfin mérité ses ailes...

Mais son cynisme est le plus fort. Sous ses yeux, les personnages du film commencent à s'estomper, leurs voix s'amenuisent. Jimmy Stewart jette un dernier regard méprisant dans sa direction. Gilbert se sent exclu du film. Malgré lui, il s'envole, aspiré vers une autre destinée...

Et c'est en personnage noir et blanc qu'il resurgit dans un univers qui lui semble à la fois familier et intemporel.

Redevenu lui-même, il se perçoit comme un être unidimensionnel dans ce décor dessiné où le mouvement a une allure irréelle. Il remarque bientôt un petit garçon à la drôle de tête ronde, qui tente désespérément de faire tenir droit un sapin maigrichon, saupoudrant ses aiguilles à chaque mouvement.

Il réalise avec angoisse qu'il a été catapulté dans l'univers à plat du dessin animé *Merry Christmas Charlie Brown!* Dans la cour arrière de la demeure, il s'approche de Charlie au moment où l'éternel perdant constate que le seul poids d'une boule de Noël suffit à faire pencher le misérable sapin jusqu'au sol.

– Mon pauvre Charlie, tu seras toujours un incapable, n'est-ce pas?

L'enfant le regarde. Et la tristesse de son visage, sur lequel se lit tout le stress de l'univers moderne, ne parvient pas à faire disparaître totalement cette étincelle d'espoir que le dessinateur y a mise.

– Oui, je suis maladroit. Mais je continue d'essayer. Ça vaut mieux que de tout briser, comme vous.

– Pauvre idiot! Tu n'es qu'un personnage en celluloïd qui ne parvient même pas à maintenir debout un sapin à peine assez haut pour décorer une niche à chien et tu me fais la morale?…

– Vous n'avez donc aucune raison d'avoir peur de moi puisque je n'existe pas vraiment?

– Tu existes… sans exister. Enfin, tu représentes quelque chose, rétorque un Gilbert bourru. Tu es le symbole de tous ces ignares qui croient que les choses peuvent changer. Qui croient encore à la magie de Noël. Pauvres cons!

Sans que Gilbert s'en aperçoive, d'autres personnages de la bande dessinée de Charles M. Schultz, Linus, Lucy, Pig Pen, Schrœder, Sally, se sont approchés d'eux et le regardent s'agiter.

– Monsieur, tu t'es invité tout seul dans notre univers, dit Linus. Tu peux ne pas croire en nous et à ce que signifie ce dessin animé. Mais tu ne pourras jamais nier ce que nous représentons.

– Vous êtes tous des caricatures du monde moderne! Vous croyez qu'on peut effacer l'obscurantisme avec des bons sentiments, qu'on peut oublier les guerres parce qu'on a une pensée émue, une fois par année la veille de Noël, envers ceux qui en souffrent. Vous êtes aveugles et bornés.

– Peut-être, dit Charlie Brown. Mais nous faisons rire même les désespérés. Nous sommes utiles. Même à toi qui refuses l'invitation d'une amie.

– Com... Comment savez-vous?

Gilbert est stupéfait. Sa condition de personnage noir et blanc dans un contexte de couleurs primaires le désavantage. Il tente une dernière objection:

– C'est vous qui vous êtes tournés contre moi. C'est vous qui me laissez en noir et blanc dans votre monde en couleur.

– Non, rétorque Lucy d'un ton sans réplique. Tu es en noir et blanc parce que tu es en sursis. Tu ne pourras retourner dans ton monde que lorsque tu auras compris la valeur de ce que les personnages de cinéma peuvent t'enseigner.

Et sans qu'aucune autre parole ne lui soit adressée, Gilbert voit les petits personnages s'approcher du sapin. Linus en entoure le pied de sa couverture bleue. Chacun s'affaire à le décorer en un temps record et bientôt l'arbre rachitique se dresse fièrement, lumineux et émouvant à voir. Leurs voix s'élèvent:

– Hark, the herald angel sings
Glory to the newborn king...

Gilbert résiste mal au souvenir de ses Noëls d'enfant, au pied de l'arbre, avec son jeune frère qui l'admirait et qui avait confiance en lui. Il pense à Marie, désenchantée par son refus de lui faire un autre enfant. Et il se voit lui aussi, à l'abri dans son luxueux appartement, insignifiant et dérisoire dès qu'il n'est plus à son agence, où il fait régner la terreur avec ses excès et ses caprices. Il soliloque:

— Voyons, mon gros, tu divagues. T'as trop bu. Tu vas te réveiller et te rendre compte que tout cela n'est que le fruit de ton imagination. Tout de même! Faire la conversation à Charlie Brown!

Et au fur et à mesure de cet effort de rationalisation, Gilbert constate, comme dans son aventure précédente, que les personnages semblent se liquéfier en même temps que le son de leurs paroles s'estompe.

— Tu vois que tout cela n'a pas de sens, se dit-il pour se donner du courage. Tu vas voir, tu vas te réveiller dans ton salon.

Mais Gilbert est plutôt aspiré à la vitesse d'un vent violent dans un tunnel noir et humide pour surgir, toujours en noir et blanc, dans une arène entièrement recouverte de sable chauffé à blanc par le plein soleil de midi.

La main au-dessus des yeux pour les protéger, Gilbert scrute les environs. L'étrange lieu où il a atterri est entouré de gradins en plastique vert où se masse une foule hurlante, qu'il distingue mal.

À une extrémité de l'arène, une équipe de tournage s'affaire. Deux caméras sont braquées dans sa direction. Un jeune réalisateur coiffé d'une casquette aboie des ordres. Des techniciens achèvent en vitesse de raccorder des câbles. De grands panneaux blancs réfléchissent la lumière crue du soleil dans la direction de Gilbert.

– Bon pour le son! crie le preneur de son.

– Ça tourne, décrète le directeur de la photographie.

– *Le réfugié* prise trois, scène un, hurle la préposée au claquoir en le faisant fonctionner fortement devant l'objectif d'une des caméras.

– Moteur! clame le jeune réalisateur arrogant.

Ignorant ce qu'on attend de lui, Gilbert est pétrifié. Alors qu'il se croyait sur le point de s'évader d'un rêve idiot, le voilà dans une dimension spatio-temporelle où il doit s'incorporer à une réalité qui lui échappe totalement. Il se tâte le bras. Il sent la masse de ses os. La sueur coule dans son cou et reste sur la main avec laquelle il se frotte. Est-ce possible que tout cela soit vrai?

Pourtant, devant lui, aucun membre de l'équipe de tournage ne semble s'inquiéter de son immobilité ni de son silence. Les visages sont tournés vers lui, comme vers une fourmi qu'on regarde s'agiter avant de l'écraser sous son pied.

Un bruissement irréel se répand dans l'air ambiant, d'abord imperceptiblement puis avec des trépidations de plus en plus fortes. Gilbert, la main toujours au-dessus des yeux pour se protéger du soleil, cherche à identifier la provenance de ce bruit rythmé par une sourde pulsation.

À sa gauche, sous les cris ahurissants de la foule en délire, une portion de l'enceinte pivote, d'où émerge un plateau de grandes dimensions sur lequel a pris place un orchestre de *heavy metal*, encadré par des enceintes acoustiques démesurées. Au beau milieu du plateau se dresse un énorme arbre de Noël en plastique orange, chacune de ses branches décorée par des hamburgers ou des cornets de frites, et illuminée de cigarettes incandescentes. Au sommet de l'arbre, en lieu et place de l'étoile des Mages, trône une canette d'un soda populaire tournant sur son socle pour mieux faire admirer son logotype lumineux.

Les cinq membres de l'orchestre, vêtus d'uniformes futuristes de serveurs de restauration rapide, entreprennent aussitôt de chanter à pleins poumons, sur une musique endiablée:

– *Ça, bergers, assemblons-nous,*
Allons voir le Messie,
Cherchons cet enfant si doux,
Dans les bras de Marie...

– Assez! Arrêtez! Êtes-vous tous devenus fous? hurle Gilbert en se prenant la tête à deux mains.

– Pourquoi t'en prendre à ta création? demande une voix dans son dos.

Gilbert fait volte-face. Devant lui se tient Marie, sa femme, radieuse dans l'aguichante robe blanche de Marilyn Monroe dans *The Seven-Year Itch.*

– Marie? Marie, dis-moi que je rêve! Ce n'est pas un Noël ça, n'est-ce pas?

– Crois que tu rêves si tu le veux, Gilbert. Si c'est ta façon d'envisager la réalité...

– Mais... pourquoi cette équipe de cinéma? Sommes-nous dans un film?

– Tu n'as pas entendu la préposée au claquoir tout à l'heure? C'est TON film, Gilbert. Tu es la vedette de ton propre film. Malheureusement, il ne dure qu'une scène et tu en es à la troisième et dernière prise. Ou devrais-je dire la troisième et dernière chance.

– Parle donc pour que je comprenne une bonne fois!

– Attention! Tu n'es plus en mesure de crier après moi. J'ai un avantage sur toi: je suis morte et je m'accommode très bien de mon sort. Je me suis trouvé cette petite niche dans les limbes en me glissant dans le personnage de Marilyn. Lorsque la dernière copie 35 mm aura disparu de la dernière cinémathèque, je continuerai d'exister sur les versions magnétoscopiques, puis sur vidéodisque. C'est ma survie à moi. Mon ciel à moi. C'est la voie de garage idéale pour les blasés de mon genre qui gaspillent leur santé en abusant de tout.

– Mais je ne veux pas survivre comme un personnage de mes films, moi...

– Je te comprends. Avec le genre de cochonneries que tu as produites durant toute ta carrière... Avoir le choix entre une tête de linotte qui pousse la vente d'un savon à vaisselle ou un imbécile heureux qui joue au casse-cou sur une motoneige n'a rien d'enthousiasmant.

Agacé, Gilbert crie:

– Tu ne peux pas faire taire ces ahuris qui chantent faux en plus? Ils me cassent les oreilles avec leur tapage...

– Les faire taire? Mais c'est l'univers de demain que ta cupidité a créé. Tant de mauvais goût devrait te ravir, au contraire.

– Je ne veux pas d'un monde où le bruit a remplacé la musique, où le *junk food* tient lieu de nourriture. Où personne ne s'écoute.

– Et pourtant, qui écoutes-tu, toi? Tu méprises tellement tes semblables que te voilà seul à Noël, encore une fois.

– Je ne serais pas seul si tu ne m'avais pas quitté aussi vite, Marie.

– Pauvre petit Gilbert qui n'a jamais grandi. Tu ne t'es jamais rendu compte à quel point nous avons été seuls ensemble pendant toute notre vie. Ma mort a été une délivrance pour moi. Je suis heureuse en fausse vedette de film. Quant à toi...

– Quant à moi?

– Tu es le seul responsable de ton avenir.

Autour de lui, une fois de plus, les contours deviennent diffus. La voix de Marie s'estompe dans la cacophonie languissante de l'orchestre rock de plus en plus asthmatique. L'éclat du soleil se ternit et confond la foule en une masse sombre et compacte.

– Mais je ne veux pas d'un avenir comme celui-là. Je sais qu'il peut être meilleur. Marie? Où te caches-tu? Reviens! Il faut que tu me croies. Je peux changer... J'ai l'espoir que le monde puisse changer... Je sais que je peux aider!

Une guimauve bleu poudre entoure Gilbert qui s'y love. Le dernier roulement assourdi de la batterie s'évanouit.

Un instant, il a envie de se laisser doucement étouffer dans la mousse douillette où il s'enfonce. Ne plus penser, ne plus combattre. Disparaître.

Une faible lueur naît à sa gauche et grandit. Un bourdonnement le harcèle. Ses paupières collées ont de la difficulté à se rouvrir. L'œil gigantesque du téléviseur le regarde fixement. Le bruit agaçant qui l'a tiré de son univers confortable est la voix de Marilyn Monroe qui parle à Tom Ewell.

Soudain, la belle comédienne se tourne vers l'objectif. C'est Marie! Gilbert la regarde intensément. Elle lui fait un clin d'œil et lui dit:

– Il n'est jamais trop tard, mon chou.

Tétanisé, Gilbert s'attarde quelques secondes à regarder le film, à la recherche d'un nouveau signe de Marie. Mais l'action a repris son cours normal.

Il reprend conscience... Les meubles de son appartement fixent les limites connues de son petit univers. C'est le matin de Noël.

Il se lève difficilement, la bouche pâteuse. Ses vêtements froissés témoignent de la dure nuit qu'il a passée sur le sofa. Son verre a roulé par terre; le vin répandu a fait une tache brunâtre sur le tapis. Sur la table de la mini salle à manger, les reliefs de son réveillon solitaire lui rappellent les événements de la veille.

Il s'approche à pas incertains de la baie vitrée qui donne sur le balcon. Montréal resplendit sous la neige. Les nuages fuient le soleil déjà vigoureux. Sa montre en or lui apprend qu'il est 10 h 20.

De son périple nocturne, ne lui reste que le souvenir de la conviction avec laquelle il défendait sa volonté de changement devant Marie.

Alors, tout cela n'était-il qu'un rêve?

Qu'importe. Il ne lutte pas contre la timide sérénité qui l'habite. Il se rend à la salle de bains où il s'asperge copieusement le visage d'eau froide. Le miroir au-dessus du lavabo lui renvoie le visage d'un homme au regard amical qu'il ne reconnaît pas.

Il forme un numéro sur le téléphone sans fil pendant qu'il contemple le mont Royal.

– Jeannine? Gilbert... Est-ce que je te réveille? Pas vraiment? Tout d'abord, Joyeux Noël!... Et mes excuses pour hier soir. Je t'appelle tard, je le sais, mais... j'aimerais savoir si tu as des projets pour aujourd'hui? Que dirais-tu de venir marcher à la Montagne avec moi? Ensuite, je t'inviterais à manger ici avec moi. J'ai tout ce qu'il faut... Non, je ne veux pas que tu apportes quoi que ce soit. Je veux juste que tu viennes partager un souper de Noël qui ne sera pas comme les autres. Parce que j'ai une drôle d'histoire à te raconter... Je passe te prendre dans une couple d'heures. J'ai d'abord un appel à faire au Manitoba. Il y a quelqu'un à qui je dois demander pardon depuis longtemps... Quelqu'un que j'aimerais revoir...

Éditions LOGIQUES

LX-148   L'Incontournable Système 7
          (93) MAC
LX-193   L'Incontournable Word 5.1 Mac
          (93) MAC

Informatique / Les Notes de cours

LX-216   Excel 4.0 Windows, de base
          (94) WIN
LX-277   Excel 5.0 Windows, de base
          (95) WIN
LX-259   Excel 5.0 Windows, intermédiaire
          (94) WIN
LX-270   Filemaker Pro 2 Mac, de base
          (94) MAC
LX-172   Harvard Graphics 1.02, de base (93)
          WIN
LX-271   Illustrator Mac, de base (94) MAC
LX-330   Lotus 1-2-3 v. 5 Windows, de base
          (95) WIN
LX-321   Lotus 1-2-3 v. 5 Windows, inter. (95)
          WIN
LX-214   Lotus 1-2-3 v. 4 Windows, de base
          (94) WIN
LX-243   Lotus 1-2-3 v. 4 Windows, inter.
          (94) WIN
LX-190   Lotus 1-2-3 v. 1.1 Windows, de base
          (93) WIN
LX-167   MS-DOS 6.0, de base (93) DOS
LX-279   PageMaker Win Mac, de base
          (95) WIN MAC
LX-317   PageMaker, Win Mac, inter.
          (95) WIN MAC
LX-300   Photoshop 3.0 Mac, de base
          (95) MAC
LX-280   PowerPoint 4.0 Win Mac, de
          base WIN MAC
LX-273   QuarkXpress Mac, de base (95) MAC
LX-161   Système 7 Macintosh, de base
          (93) MAC
LX-173   Windows 3.1, de base (93) WIN
LX-235   Word 6.0 Windows, de base
          (94) WIN
LX-242   Word 6.0 Windows, intermédiaire
          (94) WIN
LX-159   Word 2.0 pour Windows, de base
          (92) WIN
LX-160   Word 2.0 pour Windows,
          intermédiaire (92) WIN
LX-197   Word 5.1 Macintosh, de base
          (93) MAC

LX-198   Word 5.1 Macintosh, intermédiaire
          (93) MAC
LX-334   WordPerfect 6.1 Windows, de base
          (95) WIN
LX-335   WordPerfect 6.1 Windows, inter.
          (95) WIN
LX-256   WordPerfect 6.0 Windows, inter. (94)
          WIN
LX-241   WordPerfect 6.0 Windows, de base
          (94) WIN
LX-116   WordPerfect 5.0 Windows, de base
          (92) WIN
LX-117   WordPerfect 5.0 Windows, inter.
          (92) WIN
LX-215   WordPerfect 6.0 DOS, de base
          (94) DOS
LX-236   WordPerfect 6.0 DOS, intermédiaire
          (94) DOS
LX-145   WordPerfect 5.1 DOS de base
          (92) DOS
LX-146   WordPerfect 5.1 DOS intermédiaire
          (92) DOS
LX-151   WordPerfect 5.1 DOS, avancé
          (92) DOS

Informatique / L'informatique nouvelle vague

LX-414   Internet NV (95)
LX-406   TOP 10 WINDOWS NV (à
          paraître) WIN
LX-408   Amipro Windows 3.0 NV (94) WIN
LX-415   Corel Draw Windows NV (95) WIN
LX-412   Excel 5.0 Windows NV (95) WIN
LX-404   Lotus 1-2-3 Windows 4.0 NV
          (93) WIN
LX-409   MS-Works Windows 3.0 NV
          (94) WIN
LX-402   Quattro ProWindows 5.0 NV
          (93) WIN
LX-400   Word Windows 6.0 NV (93) WIN
LX-403   Wordperfect Windows 6.0 NV
          (93) WIN
LX-405   TOP 10 DOS NV (94) DOS
LX-410   Quicken version 7 DOS NV
          (95) DOS
LX-407   TOP 10 MACINTOSH NV
          (95) MAC
LX-401   Access Windows 1.1 NV (à
          paraître) WIN

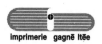

imprimerie gagné ltée

IMPRIMÉ AU CANADA